Weltweit bewerben auf Englisch

Klaus Schürmann / Suzanne Mullins

Weltweit bewerben auf Englisch

Musterbeispiele
Anschreiben und Lebenslauf

Vorbereitung
auf das Vorstellungsgespräch

Formulierungshilfen
Länderspezifische Tips

Eichborn.

Die Autoren

Klaus Schürmann, Jahrgang 1966, ist Diplom-Kaufmann und hat selbst lange im englischsprachigen Ausland gearbeitet. Er ist Inhaber von EuroXchange, einer internationalen Hamburger Arbeitsvermittlung.
Suzanne Mullins, Jahrgang 1966, Medienwissenschaftlerin, lebt seit 1986 in London. Langjährige Tätigkeit für englische Arbeitsvermittlungsagenturen, erstellte zahlreiche Bewerbungsunterlagen für deutschsprachige Arbeitsuchende im angloamerikanischen Sprachraum.

Unser Dank gilt insbesondere den unermüdlichen und selbstlosen Korrekturleserinnen Andrea Schade, Claudia Wiesner, Rosemarie Mullins und Mary Mills sowie Neil Pond.
Vielen Dank noch mal an dieser Stelle für die Geduld und Ausdauer. Ohne Euch hätten wir das Manuskript niemals in so kurzer Zeit fertigstellen können.

Die Deutsche Bibliothek – CIP-Einheitsaufnahme
Mullins, Suzanne:
Weltweit bewerben auf Englisch : Musterbeispiele, Anschreiben und Lebenslauf, Vorbereitungen auf das Vorstellungsgespräch / Suzanne Mullins; Klaus Schürmann. – Neuaufl.. – Frankfurt : Eichborn, 2001
ISBN 3-8218-3807-8

Umschlaggestaltung: Moni Port
Lektorat: Helge Jürgens/Thorsten Schulte
Gesamtherstellung: Fuldaer Verlagsagentur, Fulda
ISBN 3-8218-3807-8

Verlagsverzeichnis schickt gern:
Eichborn Verlag, Kaiserstraße 66, D-Frankfurt am Main
www.eichborn.de

Inhalt

Vorwort

Nun ist es soweit! Fernweh, der Wunsch nach neuen beruflichen Perspektiven, persönliche Gründe, was auch immer den Anstoß gegeben hat – Sie haben sich entschlossen, sich intensiv mit dem Thema Arbeitsuche und Bewerbung im englischsprachigen Ausland zu beschäftigen. Eine Idee, die wir nur unterstützen können, denn die Möglichkeiten sind vielfältig.

Doch bei einer Bewerbung für einen Arbeits- (oder Praktikums-) Platz in England, den USA, Australien oder Südafrika tauchen – das werden Sie bald merken – Unmengen von kleineren und größeren Problemen auf, die informativer, sprachlicher oder auch formaler Art sein können. Neben der Suche nach geeigneten Stellenangeboten und Informationen über den ausländischen Arbeitsmarkt macht insbesondere das Verfassen der Bewerbungsunterlagen einige Schwierigkeiten. Wie soll man vorgehen? Die heimischen Unterlagen einfach wörtlich übersetzen? Mit welcher Strategie kann man sich gegen die inländische Konkurrenz im Zielland durchsetzen? Und dann noch das Vorstellungsgespräch als letzte große Hürde.

Dieser Ratgeber ist geschrieben worden, um Sie in allen Phasen der Bewerbung zu unterstützen: mit einer Fülle von praxisbezogenen Informationen und Anleitungen. Denn die Zielsetzung dieses Buches ist ganz einfach: Wir möchten, daß Sie den Job bekommen, den Sie haben wollen.

Schwerpunkt dieses Buches ist die Vermittlung des Know-hows, wie man sich schriftlich und persönlich bestmöglich in einem anderen Land, also in der Regel in einer völlig ungewohnten Umgebung, darstellt. Sie finden dazu zahlreiche Beispielbewerbungen, die Ihnen als Vorlage dienen können, sowie Hunderte von wichtigen Tips und Tricks für die Arbeitsuche. Außerdem beantwortet dieses Buch alle Fragen, die sich aus einer erfolgreichen Bewerbung ergeben: wie z.B. das Aushandeln des Arbeitsvertrags oder das Beantragen der Visa.

Und: Lassen Sie sich von eventuellen sprachlichen Unsicherheiten nicht von Ihrem Projekt abbringen. Sprachprobleme sind, trotz gegenteiliger subjektiver Einschätzungen nur sehr selten ein wirklicher Disqualifizierungsgrund. Falls man sich wirklich unsicher fühlt: Abhilfe schafft hier fast immer ein erster Sprachaufenthalt oder aber auch eine niedrige Einstiegsposition.

Bei der Recherche zu diesem Buch sind wir auf der Webseite eines privaten, australischen Arbeitsvermittlers auf ein Zitat aufmerksam geworden, daß mit wenigen Worten ausdrückt, worum es in diesem Buch geht:

The person who gets hired is not necessarily the one who can do the job the best, but simply, is the one who best knows how to get hired.

(Es werden nicht unbedingt diejenigen eingestellt, die den Job am besten machen können, sondern diejenigen, die sich am besten verkaufen können!)

Kurz ein paar Hinweise zur Arbeit mit diesem Buch:
Bei der Arbeitsuche im Ausland geht man generell in drei Schritten vor. Um unnötige Frustrationen zu vermeiden, ist es klug, sich dabei ausschließlich auf die nächstliegende Aufgabe zu konzentrieren und sich mit den Anforderungen der darauffolgenden Stufe jeweils erst dann zu beschäftigen, wenn eine Auseinandersetzung auch wirklich ansteht.

1. Orientierung am Markt und generelle Vorbereitung. Motto: Wo finde ich meinen Traumjob?
2. Erstellen von überzeugenden Bewerbungsunterlagen.
3. Vorbereitung und Durchführung von persönlichen Gesprächen.

Sehr wichtig ist das Zeitmanagement eines solchen Projektes. In der Regel braucht man ein halbes Jahr von der anfänglichen Informationssuche bis zum unterschriebenen Arbeitsvertrag. Dann muß man noch einige Monate für die Beantragung eines Visums veranschlagen. Der gesamte Prozeß kann sich in Einzelfällen aber auch dramatisch verkürzen. So kann es bei einer innereuropäischen Bewerbung nach England sehr viel schneller gehen, da Arbeits- und Aufenthaltsgenehmigungen hier nicht nötig sind.

An dieser Stelle noch ein erster allgemeiner Hinweis auf die sprachlichen Feinheiten, formalen und mentalen Unterschiede, die Sie bei der Arbeitsuche in den englischsprachigen Ländern berücksichtigen sollten. Nach der Abspaltung vom Mutterland Großbritannien haben sich die ehemaligen Kolonien unabhängig weiterentwickelt, und das gilt auch für die Gepflogenheiten auf dem Arbeitsmarkt. Man kann deshalb ganz grob von zwei leicht unterschiedlichen Vorgehensweisen ausgehen: auf der einen Seite die Bewerbung im europäischen Raum und auf der anderen die Bewerbung für die restliche englischsprachige Welt, in der Regel nach amerikanischem Muster. Die diversen Unterschiede werden an entsprechender Stelle explizit gekennzeichnet.

1. Chancen auf dem ausländischen Arbeitsmarkt

Jeder, der sich heutzutage auf der Suche nach einer interessanten Anstellung befindet, wird mit einem sich immer dynamischer entwickelnden und global ausgerichteten Arbeitsmarkt konfrontiert. Wer sich nicht beständig und flexibel an den Bedürfnissen des Arbeitsmarktes orientiert und weiterbildet, bleibt bei der Vergabe der interessanten und gut bezahlten Jobs auf der Strecke. Studien zur Arbeitsmarktentwicklung zeigen, daß im Jahr 2000 ca. 40% aller Anstellungen im Bereich der *Information Technology* (IT), zu deutsch Datenverarbeitung liegen. Auch im Dienstleistungssektor sind weitere Zuwächse der Beschäftigung zu erwarten. Ein weiterer Trend geht hin zu flexibleren Arbeitsverhältnissen wie Zeitarbeit oder freier Mitarbeit. Schaut man sich auf den Stellenmärkten um, dann wird überdeutlich, daß diejenigen ohne Auslandserfahrung und Fremdsprachenkenntnisse es in Zukunft schwer haben werden, sich gegen die Konkurrenz durchzusetzen. Solche Qualifikationen gewinnen natürlich auch bei traditionellen Beschäftigungsverhältnissen auf dem nationalen Markt immer mehr an Bedeutung. Und nicht zuletzt ist ein Auslandsaufenthalt ein spannender Lebensabschnitt, der viel für die persönliche Entwicklung bringt.

Für das englischsprachige Ausland spricht dabei die Tatsache, daß Englisch sich immer weiter als weltweite Geschäftssprache etabliert. Gute bis sehr gute Sprachkenntnisse werden daher, zumindest in gehobenen Positionen und internationalen Konzernen, fast immer vorausgesetzt. Auch wenn die Grundlagen in Schule oder Universität vermittelt werden – die mühelose, schriftliche und mündliche Konversation erlernt man nur im alltäglichen Umgang mit der Sprache. Hierfür reicht ein dreiwöchiger Sprachkurs im allgemeinen nicht aus. Man muß schon mehrere Monate im fremden Land bleiben, um sich vor Ort mit Land und Leuten auseinanderzusetzen und sich in Sprache und Mentalität zurechtzufinden. Ab einem bestimmten Sprachniveau verbessern sich die sprachlichen Fähigkeiten dann meist ganz nebenbei. Eine sprachliche Verfeinerung ist schließlich auch Voraussetzung dafür, daß man beim ausländischen oder internationalen Unternehmen mit interessanteren Aufgaben betraut wird und so auch tiefere fachliche Erfahrungen sammeln kann.

Sprachliche Voraussetzungen

Als **Austauschstudent** ist der Einstieg in die englische Sprache am unproblematischsten. Man kann sein Schulenglisch ausbauen, ohne sich auf einem Konkurrenzmarkt unter Leistungsdruck durchsetzen zu müssen. Es gibt eine Vielzahl von europäischen Mobilitätsprogrammen (z.B. ERASMUS, SOKRATES, LEONARDO DA VINCI) und Kooperationen zahlreicher Hochschulen, die Auslandsaufenthalte finanziell fördern (Ansprechpartner ist jeweils das akademische Auslandsamt der besuchten Universität). Die in der Schule erworbenen Englischkenntnisse reichen dabei fast immer für die Aufnahme in ein universitäres Programm aus. Oft sind die Bewerbungsunterlagen für die Aufnahme in ein solches Programm in Englisch einzureichen. Hierbei wird Ihnen dieses Buch eine wertvolle Hilfe sein.

Für einen **Praktikumsplatz** und vor allen Dingen für eine **bezahlte Arbeitsstelle** müssen Sie sich gegen in- und ausländische Konkurrenz durchsetzen und sollten sich daher entsprechend intensiv auf diesen Wettbewerb vorbereiten. Werden mäßige Englischkenntnisse bei Praktikanten geduldet, so steigen die Ansprüche bei einer Festanstellung oder freien Mitarbeit proportional zur Bezahlung.

In den **USA** und **Australien** müssen regelmäßig sehr gute Englischkenntnisse vorgewiesen werden. Deutsche Sprachkenntnisse sind hier selten ein Vorteil, dafür ist die Distanz zum deutschen Absatzmarkt zu groß.

In **Großbritannien** und **Irland** dagegen gibt es eine Vielzahl von Anstellungen für deutsche Muttersprachler. Viele amerikanische und australische Firmen haben hier ihre europäischen Geschäftszentralen angesiedelt und bedienen den deutschen Markt via Telefon, Fax und Internet. In diesem internationalen Umfeld sind Deutschkenntnisse von Vorteil. Natürlich sind englische Sprachkentnisse aber auch hier vonnöten, da sämtliche Schulungen und die betriebliche Kommunikation auf Englisch stattfinden. Überhaupt ist der Einstieg in die Arbeitswelt in Irland oder Großbritanien z.Z. relativ einfach, weil in den bereits genannten Branchen ein großer Bedarf an Arbeitskräften besteht und die Unternehmen bereit sind, Arbeitnehmer auch mit weniger guten Sprach- oder Fachkentnissen zu schulen. Das ideale Karrieresprungbrett! Große Unternehmen mit permanentem Bedarf an deutschem Support oder Sales Personal sind: IBM, Oracle, Olivetti, Dell, Hewlett Packard, At&T, Microsoft, Compaq, SDL etc.

☺ Wer noch an seinem Englisch zweifelt, muß sich trotzdem nicht abschrecken lassen. Wie schon gesagt, sind die sprachlichen Anforderungen für einen geförderten europäischen Studienplatz im Ausland relativ gering. Am Studienort können dann in der Regel zahlreiche kostenlose oder sehr günstige Möglichkeiten wahrgenommen werden, um sich auf die speziellen fachlichen und sprachlichen Anforderungen vorzubereiten.

Alle Nicht-Studenten, die einen längeren Arbeitsaufenthalt planen, können vor Arbeitsaufnahme in fast jeder größeren Stadt an Kursen teilnehmen, die zumeist mit dem Erwerb anerkannter Sprachzertifikate abgeschlossen werden können. Diese Zertifikate veranschaulichen Ihre Ambition, im Ausland wirklich Fuß fassen zu wollen und sind ein weiterer wichtiger Punkt in Ihrer »Skills-Liste«.

Sie sollten diese Kurse vor Ort buchen, man spart Geld und kann verschiedene Angebote unverbindlich antesten. Die bekanntesten Zertifikate sind:

- TOEFEL (Test of English as a foreign language)
- Cambridge First Certificate (sehr geringe Anforderungen)
- Cambridge Advanced Certificate (mittleres Niveau)
- Cambridge Proficiency (sehr hohes Niveau – viele Briten würden hier auch nicht bestehen)

Förderung von Sprachaufenthalten: Im europäischen Ausland werden Sprachkurse von jungen Berufstätigen (26-45) mit abgeschlossener, nicht-akademischer Ausbildung von der Carl-Duisberg-Gesellschaft e.V. mit bis zu 700.- DM zuzüglich Fahrtkosten gefördert. Auch Sprachkurse von Auszubildenden können mit maximal 75% Anteil an den Gesamtkosten gefördert werden. Die Adresse der Carl-Duisberg-Gesellschaft finden Sie weiter unten (s.S. 15).

Arbeitsaufenthalte

Für bestimmte Branchen ist ein Auslandsaufenthalt in Großbritannien und vor allen Dingen in den USA von besonderem Reiz. Die technische, praktische und wissenschaftliche Entwicklung in diesen Ländern ist weiter fortgeschritten als in Deutschland. Dort hat sich Know-how angesammelt, von dort kommen die neuesten Trends, Produkte und Entwicklungen. Dies gilt z.B. für die Bereiche

IT/EDV und speziell das Internet, für den Service- und Dienstleitungssektor und für die Film-, Fernseh und Werbebranche. Auch in der Medizin oder Psychologie geben englischsprachige Länder den Ton an.

Waren Sie in einem dieser Bereiche im Ausland tätig, dann profitiert der deutsche Arbeitgeber nach ihrer Rückkehr von Ihrem Wissen und Ihren Erfahrungen, zu denen auch die verschiedenen sogenannten »weichen« Fähigkeiten wie Eigenmotivation, Flexibilität, Engagement und Kommunikationsfähigkeit zählen. Somit steigen generell die Karrierechancen nach einem Arbeitsaufenthalt im Ausland beträchtlich.

Wer länger im Ausland bleiben will und dort eine Karriere anstrebt, für den gibt es gute Nachrichten: Im anglo-amerikanischen Raum kommt man viel schneller auf der Karriereleiter voran. Voraussetzung ist persönlicher Wille und Qualifikation, es wird weniger Wert auf Zeugnisse und einen lückenlosen Lebenslauf gelegt. Auch wenn die Bezahlung auf den ersten Blick schlechter erscheint als bei uns: Aufgrund anderer Steuersätze und geringerer Sozialabgaben bleibt oft mehr im Portemonnaie als zunächst sichtbar. Auch die schlechteren Sozialversicherungen im anglo-amerikanischen Raum sollten niemanden abschrecken, denn alle großen Firmen bieten sehr gute und umfangreiche betriebseigene Absicherungen an (s.u. Sozialversicherungen).

Förderungsmöglichkeiten: Neben den schon erwähnten Programmen für Studenten gibt es verschiedene Programme und Organisationen, die weiterbildende Maßnahmen für junge Berufstätige und Fachkräfte, möglichst mit ersten Berufserfahrungen und guten Sprachkenntnissen, im Ausland finanziell oder mit Rat und Tat fördern. Förderungsträger sind regelmäßig die Europäische Kommission, der Bund oder Stiftungen. Nützliche Anlaufstation ist die Zentralstelle für Arbeitsvermittlung der Bundesanstalt für Arbeit (ZAV) in Frankfurt. Die Behörde vermittelt Fachkräfte, Lehrer, Experten aber auch Trainees in das gesamte Ausland. Eine angenehme Begleiterscheinung: Die Frage des Visums wird bei einer Vermittlung über die ZAV von der Behörde geregelt. Informationen werden in verschiedenen kostenlosen Broschüren angeboten (Adressen und Literaturhinweise s.u. S. 15).

Weitere und ganz speziell geförderte Stellenangebote, meist im Rahmen des *Leonardo da Vinci*-Programms, findet man in *Markt und Chance*, dem zentralen Stellenanzeiger der Bundesanstalt für Arbeit. Das Heft wird wöchentlich herausgegeben und liegt kostenlos in jedem Arbeitsamt aus.

Eine weitere zentrale Anlaufstation, um sich für Förderprogramme ins Ausland zu bewerben, ist die Carl-Duisberg-Gesellschaft e.V. Für Berufstätige empfiehlt sich die Lektüre des Informationsheftes *Programme zur beruflichen Weiterbildung im Ausland* oder *Arbeits- und Studienaufenthalte in Afrika, Asien und Lateinamerika.* Beide Hefte sind kostenlos zu beziehen (Bestelladresse s.u. S. 15).

Praktika

Im Rahmen der schon erwähnten Globalisierung spielen Auslandsaufenthalte, etwa im Rahmen eines Praktikums, bei der Bewerbung von Hochschulabsolventen um begehrte Arbeitsplätze eine immer wichtigere Rolle. Bei Bewerbungen in internationalen Unternehmen sind diese Aufenthalte mittlerweile ein Muß, insbesondere bei angehenden Führungskräften, denn durch Auslandsaufenthalte werden wichtige soziale Kompetenzen signalisiert: Eigeninitiative und Mut zum Risiko sowie Anpassungsfähigkeit und Durchsetzungsvermögen.

Einen Praktikumsplatz im Ausland zu erhalten ist relativ einfach, wenn man auch ein geringeres Entgeld als üblich akzeptiert. Doch auch hier sollte großer Wert auf eine optimale Bewerbung gelegt werden. Dazu ein paar wichtige allgemeine Hinweise zu den länderspezifischen Besonderheiten:

Das universitäre Bildungssystem der **USA** ist streng verschult, aber sehr praxisnah ausgerichtet. Die Studenten verlassen in der Regel nach vier Jahren, mit Anfang 20, mit dem Bachelor Degree die Hochschule. In den USA muß man für diese Ausbildung selber aufkommen und ist auch deshalb sehr daran interessiert, ein Maximum an Arbeitserfahrung in die universitäre Ausbildung miteinzubeziehen. Praktika werden als fester Bestandteil des Studiums und als Vorbereitung auf das Berufsleben während der vorlesungsfreien Zeit absolviert.

In allen **anderen englischsprachigen Ländern** nutzt man diese Zeit mehr für das Lernen und für den Urlaub. Erste Berufserfahrungen macht man dann noch früh genug. Zwar bieten Unternehmen oft Trainee- oder Graduate-Programme für Collegeabgänger an, aber als studienbegleitende Maßnahme sind Praktika weniger üblich. Vor diesem Hintergrund ist es kaum verwunderlich, daß viele Unternehmen eine studentische Bewerbung für ein Praktikum zunächst nicht einzuordnen wissen.

Schon die **Terminologie** ist uneinheitlich:

- In den **USA** wird ein Praktikum *internship position* genannt und ist ein wichtiges Kriterium, um an interessante und besser dotierte Anstellungen zu gelangen. In den Regalen der Buchhandlungen findet man dort Bücher wie die *Internship Bible*, eine Fundgrube für wichtige Informationen über Unternehmen, Behörden oder Institutionen, die Praktikanten einstellen (im Internet günstig erhältlich unter http://www.amazon.com). Vergleichbare Bücher sucht man im britischen, irischen, australischen oder südafrikanischen Raum vergeblich.
- In **Großbritannien und Irland** heißen Praktika nicht *internship position* sondern *work placements* – Aufpassen! Im Rahmen der Europäisierung werden Unternehmen in Großbritannien und Irland immer öfter mit deutschen oder französischen Anfragen nach dieser Art studentischer Arbeit konfrontiert und haben die günstigen und oft hochmotivierten Arbeitskräfte durchaus zu schätzen gelernt.
- In **Südafrika und Australien** gibt es keine passende Übersetzung für das deutsche Wort »Praktikum«. Mit den Begriffen »internship position« oder »work placements« kommt man auch nicht weiter. Hier gibt es bei einer Bewerbung großen Erklärungsbedarf. Vor allen Dingen sollte darauf hingewiesen werden, daß auf das Unternehmen nur geringe oder gar keine Kosten bei der temporären Beschäftigung zukommen. Trotz eines fehlenden Begriffs ist man aber generell Praktikanten gegenüber sehr aufgeschlossen.

Ansprechpartner und Informationsquellen

Idealer Ausgangspunkt für die Karriere sind **Filialen großer deutscher Unternehmen im Ausland**. Ein gutes Beispiel ist der Automobilhersteller VW, der neben verschiedenen anderen Standorten große Werke in Südafrika, den USA und Großbritannien unterhält. Die Adressen der ausländischen Niederlassungen deutscher Firmen sind entweder direkt bei den deutschen Stammhäusern zu bekommen oder bei den Handelskammern, in Bibliotheken oder über das Internet auf den Homepages der Unternehmen.

Praktikumsplätze bei diesen Firmen sind rar. Die Vielzahl von Konkurrenten macht es schwierig, sich von anderen abzuheben und sich durchzusetzen. Hier helfen nur die besten Bewerbungsunterlagen und eine optimale Marketingstrategie in eigener Sache. Auch die Wahl des Landes, in dem man das Praktikum machen möchte, ist von Bedeutung. In die USA und nach Großbritannien will eine große Zahl von Studenten, und entsprechend groß ist die Nachfrage, in die von der EU oder dem Bund geförderten Programme zu kommen.

Studenten, die sich im Rahmen eines Praktikums für Stipendien, Förderprogramme u.ä. interessieren, wenden sich zunächst am besten an das akademische Auslandsamt ihrer Universität. Hier wird man Sie kostenlos beraten und Ihnen die verschiedensten Informationsmaterialien zur Verfügung stellen. Auf einige Adressen möchten wir Sie aber hier besonders hinweisen:

- Der Deutsche Akademische Austauschdienst e.V. (DAAD) hat einige informative Schriften veröffentlicht, unter anderem: *Studium, Forschung, Lehre im Ausland. Förderungsmöglichkeiten für Deutsche*, welches über die akademischen Auslandsämter oder kostenlos bei folgender Adresse bestellt werden kann:
  Deutscher Akademischer Austauschdienst e.V.
  Kennedyallee 50
  53175 Bonn
  Tel.: 0228-882-0
  Fax: 0228-882-444
  http://www.daad.de

- Im Informationsheft *Programme zur beruflichen Weiterbildung im Ausland* hat die *Carl-Duisberg-Gesellschaft* Informationen für Arbeits- und Studienaufenthalte im Ausland zusammengestellt. Es ist kostenlos zu beziehen unter:

  Carl-Duisberg-Gesellschaft e.V.
  Weyerstr. 79
  50676 Köln
  Tel.: 0221-2098-102 und 148
  Fax: 0221-2098-111
  http://www.cdg.de

- Ebenfalls von der Carl Duisberg Gesellschaft herausgegeben wird der Katalog zum Programm ASA: *Arbeits- und Studienaufenthalte in Afrika, Asien und Lateinamerika.* Auch diese Veröffentlichung ist kostenlos erhältlich:
  ASA-Programm
  Carl Duisberg Gesellschaft e.V.
  Postfach 3509
  10727 Berlin
  Tel.: 030-25482-0
  Fax: 030-25482-359
  Email: asa@cdg.de

- Die Zentralstelle für Arbeitsvermittlung der Bundesanstalt für Arbeit (ZAV) in Frankfurt hilft bei der Praktika- und Sommerjobsuche. Informationen findet man in den folgenden kostenlosen Broschüren:

- *Lehreraustauschprogramm mit den USA*
- *Durch Vermittlung ins Ausland*
- *Jobs und Praktika im Ausland*
- *Praktische Aus- und Fortbildung im Ausland*
- *Praktika bei internationalen Unternehmen*

  Zentralstelle für Arbeitsvermittlung der
  Bundesanstalt für Arbeit
  Feuerbachstr. 42
  60325 Frankfurt am Main
  Tel.: 069-7111-0
  Fax: 069-7111-555

- AIESEC (Wirtschafts- und Sozialwissenschaftler) und IASTE (Naturwissenschaftler, Ingenieure und Landwirte) sind Studentenorganisationen, die unter anderem den interkulturellen Austausch durch die Vermittlung von Praktikastellen fördern. Vertreter dieser Organisationen sitzen an jeder deutschen Universität und Fachhochschule. Durch langjährige Tätigkeit auf diesem Gebiet können diese Organisationen oft sehr gut betreute Praktika im Ausland anbieten.

  AIESEC e.V.
  Deutsches Komitee
  Subbelrather Str. 247
  50825 Köln
  Tel.: 0221-551056
  Fax: 0221-5507676
  http://www.de.aiesec.org

  IASTE
  Deutsches Komitee
  Kennedyallee 50
  53175 Bonn
  Tel.: 0228-882231
  Fax: 0228-882550

Darüber hinaus bieten folgende Institutionen Praktikumsprogramme an:

- Für Landwirte und Gärtner:
  Deutscher Bauernverband
  Godesberger Allee 142-148
  53175 Bonn
  Tel.: 0228-8198299
  Fax: 0228-8198205

- Für Mediziner:
  Deutscher Famulantenaustausch
  Godesberger Allee 54
  53175 Bonn
  Tel.: 0228-375340
  Fax: 0228-8104155

- Für Fremdsprachenassistenten und Lehrer:
  Pädagogischer Austauschdienst
  Nassestr. 8
  53113 Bonn
  Tel.: 0228-501433
  Fax: 0228-501259

Neben den hier aufgeführten gibt es zahlreiche Organisationen, die Praktikumsplätze für viel Geld verkaufen, auf die aber eben deshalb nicht weiter eingegangen werden soll.

Sollten Sie die Fristen verpaßt oder einfach nur kein Glück haben, in ein gefördertes Programm zu kommen, dann organisieren Sie sich selbst ein Praktikum. Adressen und Informationsquellen finden Sie im Kapitel »Die Jobsuche«.

☺ Ein selbstorganisiertes fachbezogenes Praktikum im außereuropäischen Ausland (sowie in Island, Malta, Türkei oder Zypern), das länger als zwei Monate dauert, bezuschußt der DAAD mit der Übernahme eines Fahrtkostenanteils, der in etwa die Flugkosten deckt. Da nur begrenzte Mittel zur Verfügung stehen, entscheidet bei starker Nachfrage unter Umständen das Los über die Vergabe dieser Mittel. Diesen Zuschuß beantragen Sie mit einem Formblatt, das über die oben aufgeführte Adresse oder bei den akademischen Auslandsämtern erhältlich ist und das in der Regel mindestens zwei Monate vor Beginn des Praktikums dem DAAD vorliegen muß.

Andere Möglichkeiten: Forschungsprojekte und Sommerjobs

Diplomarbeit/Forschung/Promotion

Es besteht auch die Möglichkeit, sich im Rahmen der Forschung die Mittel für einen Auslandsaufenthalt zu organisieren. Die europäische Einigung und die schon zitierte Globalisierung öffnen auch viele Türen auf der Forschungsebene. Stiftungen des Bundes, der Bundesländer, Parteien, fast alle großen deutschen Konzerne sowie einige große gemeinnützige Gesellschaften und Vereine investieren einiges Geld in Studien, die im weitesten Sinne das Zusammenwachsen oder die Globalisierung der Märkte in Europa bzw. der Welt zum Inhalt haben oder sich mit speziellen Umweltvorgaben, Produktionstechniken, Ressourcen etc. beschäftigen.

Neben inländischen Vorhaben kann man nicht selten auch Studien im Ausland realisieren, insbesondere wenn Forschungen vor Ort durchzuführen sind.

Graduiertenförderung und Gelder für Studienprogramme und Stipendien werden nach unterschiedlichsten Vorgaben verteilt. Ein interessantes Thema ist unabdingbar, die Chancen, gefördert zu werden, steigen mit dem Nutzen, den ein privat wirtschaftendes Unternehmen aus der Arbeit ziehen kann, oder mit dem möglichen Imagegewinn einer öffentlichen Institution. Es kann sich folglich lohnen, eigenständige Forschungsprojekte den verschiedenen potentiell interessierten Gremien zu präsentieren.

Sie können sich direkt an die einzelnen Stiftungen wenden, wobei sich der Umweg über Ihre Universität oft lohnt. Hier erhalten sie neben den begehrten Adressen auch eine Einschätzung Ihres Vorhabens, da viele Universitäten schon langjährige und fruchtbare Beziehungen zu vielen Stiftungen unterhalten.

Sie sollten sich nicht scheuen, Unternehmen und Verbände anzusprechen. Eine gelungene Präsentation Ihres Projekts ist aber Voraussetzung für eine mögliche Unterstützung. Deshalb sollten Sie sich gut vorbereiten.

Sommerjobs

Sommerjobs sind eine weitere Möglichkeit für junge Leute, die nur einen Sommer lang in einem fremden Land arbeiten wollen. Vor allem in den USA sind Summercamps weit verbreitet. Amerikanische Kinder werden in den Sommerferien in diese Camps geschickt und dort betreut, während die Eltern arbeiten (Amerikaner haben nur eine begrenzte Anzahl von Urlaubstagen zur Verfügung, s.u. Sozialversicherung). Die Tätigkeit als Betreuer ist eine gute Sommerjobmöglichkeit. Auch in Europa und Australien gibt es solche Camps. Einige der europäischen Angebote werden von der Europäischen Union (EU) gefördert und dienen der interkulturellen Zusammenkunft.

Eine andere gute Möglichkeit, in Großbritannien zu arbeiten, ist die Reiseleitung oder -begleitung bei Jugendreiseunternehmen wie Rainbow, Offährte etc. Die Bezahlung ist gering. Oft ist es nicht mehr als ein Taschengeld und eben die kostenlose Reise, aber sehr empfehlenswert, um Land und Leute kennenzulernen. Adressen von solchen Reiseveranstaltern findet man z.B. in Stadtzeitungen wie *Tip* oder *Zitty* in Berlin, oder auch *Szene* oder *Oxmox* in Hamburg.

Weitere Informationen zum Thema Ferien-/Sommerjobs in Großbritannien finden Sie in folgendem Buch:

- Klaus Schürmann: Großbritannien, Bewerben, Jobs und Studium
  Interconnections: Freiburg 1999

Im Internet findet man Angebote für Summercamps und Ferienjobs unter:

- http://www.summerjobs.com
- http://www.au-pair-box.com

oder Sie benutzen internationale Suchmaschinen (vgl.u. den Abschnitt »Via Internet«).

2. Die Jobsuche

Gerade bei der internationalen Arbeitsuche ist es wichtig, rechtzeitig mit den Vorbereitungen anzufangen. Das Erstellen der Unterlagen in einer anderen als der Muttersprache ist aufwendig und zeitintensiv. Da man sehr sorgfältig vorgehen sollte, können in der Regel, je nach sprachlichen Vorkenntnissen, ein bis mehrere Monate eingeplant werden. Verfügt man jedoch über begehrte fachliche Berufskenntnisse und ist schon vor Ort, dann kann die Suche innerhalb kürzester Zeit erfolgreich sein. Zeitaufwendiger ist die Beantragung eines Visums. Dies kann mehrere Monate dauern, doch dazu später (vgl. das Kapitel zu den Visa-Bestimmungen, S. 179).

Vor einer Bewerbung ins Ausland steht die Informationsbeschaffung. Der heimische Arbeitsmarkt ist ja bis zu einem gewissen Grad noch überschaubar, wie aber sind die Berufschancen im Ausland, wie die Bewertung des heimischen Abschlusses? Wie beschafft man sich eine Arbeitserlaubnis, wie hoch sind Steuern und Gehälter in den einzelnen Ländern? Wie sieht es mit der Wohnsituation aus? Welche praktischen, politischen oder sozialen Besonderheiten gibt es? Und vor allem: Wer ist ein potentieller Arbeitgeber, und wie finde ich meinen Traumjob?

Im folgenden möchten wir Ihnen Wege zeigen, wie Sie die Informationen bekommen, die Sie benötigen, um bei der Arbeitsplatzsuche im Ausland erfolgreich zu sein. Damit Sie diese Informationen problemlos auswerten können, sollten Sie sich zunächst mit der besonderen Sprache der Stellenanzeigen, sei es in Zeitungen oder im Internet, vertraut machen.

Stellenanzeigen: Besonderheiten – Abkürzungen

In einer britischen Stellenanzeige für den Bereich Marketing verlangt der Arbeitgeber »two years experience with FMCG« Was soll das sein? Bei dem Kürzel »18k« hinter der Gehaltsangabe wird noch einigermaßen schnell klar, daß es sich um 18.000 Pfund Jahresgehalt handeln muß, an der Entschlüsselung einer rätselhaften Abkürzung wie »FMCG« kann man dagegen schon mal verzweifeln.

Damit Sie sich schnell zurechtfinden, liefert Ihnen die folgende Tabelle wichtige Begriffe mit den entsprechenden Abkürzungen:

Abkürzung	**Bedeutung**	**Übersetzung**
AA	Affirmative Action	Frauen-und Minderheitenförderungsprogramm
Am	Ante meridiem	vor 12 Uhr
Appt.	Appointment	Verabredung/Termin
ASAP	As soon as possible	sofort
Asst.	Assistant	Assistent
Attn. oder attn.:	Attention	zu Händen
BA, MA	Bachelor/Master of Arts	Studienabschluß nach 4/6Jahren
Bfts.	Benefits	Zusatzleistungen
Blgl	Bilingual	zweisprachig
Cert	Certificate	Abschluß/Bescheinigung
CV	Curriculum Vitae	Lebenslauf
Dept	Department	Abteilung
Dip	Diploma	Abschluß ähnlich der Fachhochschulreife
DIY	Do it yourself	Heimwerker
DOE	Depends on experience	je nach Berufserfahrung
EOE	Equal Opportunity Employer	Einstellung ohne jede Diskriminierung
Encl oder Enc	Enclosure	beigefügt/Anlage
Exp	Experience	Berufserfahrung
Exec	Executive	Manager (USA) Verantwortlicher (GB)
FAO oder F.A.O.	For the attention of	zu Händen
FAQ oder F.A.Q.	Frequently asked questions	häufig gestellte Fragen
Fax Res	Resume per Fax	Lebenslauf faxen
F/M	Female/male	weiblich/männlich
FMCG	Fast moving consumer goods	Konsumgüter
FT/PT	Full time/part time	Vollzeit/Teilzeit
HR	Human resources	Personalabteilung
(50) hrs/wk	50 hours per week	50 Stunden pro Woche
hs/HS	High school	Oberschule (USA)
Immed	Immediately	umgehend
inc'g salary	Including salary	mit Gehaltsvorstellungen
IT	Information technology	EDV
K (£18k)	Thousand	tausend
Med	Medical	medizinisch
Mgr	Manager	Manager
Min	Minimum	Minimum
Nat'l	National	national

Nec	Necessary	notwendig
NI	National Insurance Number	Lohnsteuer- und Sozialversicherungsnummer (GB und Irland)
No	Number	Anzahl
Ofc	Office	Büro
Oppty	Opportunity	Gelegenheit
PAYE	Pay as you earn	Lohnsteuer
Pd	Paid	bezahlt
Perm	Permanent (position)	Dauer-(Beschäftigung)
Pm	Post meridiem	nach 12 Uhr
Pref'd	Preferred	bevorzugt
Ref	Reference	Referenz
Req	Required	notwendig / erforderlich
Sal	Salary	Gehalt
sec, secty	Secretary	Sekretär/in
Supr	Supervisor	leitender Angestellter, Kontrolleur
sr/jr	Senior/junior	Erfahrener/Anfänger
Tech	Technician	Techniker
Temp	Temporary	zeitlich befristet
Trnee	Trainee	Auszubildender, Praktikant
Vac	Vacation	Urlaub
VAT	Value added tax	Mehrwertsteuer
Wpm	Words per minute (typing)	Wörter pro Minute (anstelle von Anschlägen)
yr, yrs	Year, years	Jahr, Jahre

Jobsuche via Internet

Heutzutage bietet das Internet die beste Möglichkeit, eine Anstellung, einen Job oder einen Praktikumsplatz im Ausland zu finden. Noch vor einigen Jahren zumindest in Deutschland milde belächelt, wird die Jobvermittlung über das Internet immer populärer und die Marktanteile dieses Mediums im Personaldienstleistungsbereich wachsen rasant. Von Vorteil für den Suchenden ist vor allen Dingen der direkte und unmittelbare Zugriff auf Stellenangebote und Datenbanken im Ausland zu örtlichen Telefon-Einwahlkosten.

Im gesamten anglo-amerikanischen Raum ist die Bewerbung via E-mail inzwischen Standard. Wer sich nicht elektronisch vermarkten kann, hat erhebliche Nachteile auf dem Arbeitsmarkt. Der folgende Abschnitt richtet sich an all diejenigen, die schon erste Erfahrung mit dem Internet gesammelt haben. Für Anfänger empfiehlt es sich, mit diesem Buch erst einmal für ein, zwei Stunden zu Freunden mit Zugang zum Internet oder in ein Internet Café zu gehen. Man kann auch einen der überall aus dem Boden sprießenden Telefonläden aufsuchen, um in Ruhe zu surfen und ein wenig rumzuprobieren. Hilfe und erste Anleitung werden oft als Service angeboten.

Es gibt verschiedene Möglichkeiten der Jobsuche über das Internet:
Sie können z.B. **virtuelle Stellenmärkte** durchsuchen. Diese sind mit den Stellenanzeigenseiten von Zeitungen vergleichbar, bieten jedoch dem Benutzer die Möglichkeit, die Angebote nach individuellen Kriterien zu selektieren, wie z.B. Branchen, Regionen, der gewünschten Ausbildung und anderen Anforderungen. Ein besonderer Service: Einige Seiten bieten Hilfe beim Verfassen von länderspezifischen Varianten des Lebenslaufes, engl. *Resume* oder *Curriculum Vitae (CV)*, an. Die Betreiber von virtuellen Stellenbörsen sind private Arbeitsvermittler, Verlage oder aber spezialisierte Agenturen.

Die Bewerbung wird per E-Mail an den Betreiber der Datenbank geschickt, der diese an den Arbeitgeber weiterleitet. Manchmal kann die Bewerbung auch per Post oder Fax geschickt werden (vgl. »Verschicken der Bewerbungsunterlagen«, S. 135). Darüber hinaus bieten viele virtuelle Stellenmärkte die Möglichkeit, ein eigenes Arbeitsgesuch in Ihrer Datenbank aufzugeben. Oft muß hierzu ein Formular ausgefüllt werden. Dieser Service ist in der Regel kostenlos, manche Online-Jobbörsen nehmen eine geringe Gebühr für den Chiffrierdienst.

Man kann auch direkt auf den **Homepages der Unternehmen** nach Stellenangeboten suchen. Nahezu alle größeren Firmen haben hier eine eigene Rubrik unter Überschriften wie »Jobs, Career Opportunities, Employment« etc. eingerichtet. Manchmal sind die Stellenangebote etwas versteckt, dann besteht aber fast immer die Möglichkeit, eine Suchfunktion (»Index-Search« o.ä.) nach Schlagwörtern (»jobs«, »employment«, »career«) oder Indizes zu aktivieren. Ein Großteil der online ausgeschriebenen Angebote richtet sich an Fach- und Führungskräfte, aber auch Programme für Berufseinsteiger, Trainees oder Praktikanten sind nicht selten zu finden. Also einfach mal reinschauen.

Die Adressen von Stellenbörsen und die einzelnen Unternehmens-Internetseiten sind mit Hilfe von internationale Suchmaschinen in Erfahrung zu bringen, wie z.B:

- Yahoo (http://www.yahoo.com)
- Lycos (http://www.lycos.com)
- AltaVista (http://www.altavista.digital.com)

oder mit sog. Metasuchmaschinen, die gleichzeitig verschiedene nationale und internationale Suchmaschinen bemühen wie:

- Metacrawler (http://www.go2net.com/search.html)
- Dogpile (http://dogpile.com)

Es empfiehlt sich eine Kombinationssuche von Schlagwort (»Job«, »Employment« etc.) und dem Wunschland, z.B. »Jobs+Australia«. Sucht man nach einer bestimmten Firma, dann ist folgende Methode fast immer von Erfolg gekrönt: Da die Unternehmen fast immer unter einer ihrem Namen entsprechenden Domain zu finden sind, gibt man den Firmennamen zusammen mit einer Top-Level-Domain-Endung ein. Die Endung kann genereller Art sein (».net«, ».org« oder ».com«) oder die Abkürzung des gewünschten Landes, wie z.B. »ie«, ».de«, ».uk« oder ».co.uk«. Die verschiedenen Kürzel finden Sie auch in den nach Ländern geordneten Web-Adressen (s.S. 27ff.).

Bei der Suche nach einer Anstellung oder einem Praktikum bieten sich auch einzelne **Newsgroups** an. Newsgroups sind Kommunikationsplattformen im Internet. Dort finden sich zu den unterschiedlichsten Themengebieten Beiträge aus der ganzen Welt. Jede Newsgroup ist mit einem Kürzel versehen, hinter der sich die Überschrift der Diskussionsrunde verbirgt. Im Rahmen dieser Newsgroups kann man eigene Beiträge, also auch Stellengesuche ins Netz stellen.

Öffnet man z.B. die Newsgroup »de.markt.arbeit.biete«, erscheinen Beiträge, Tips und Stellenanzeigen zum Thema Arbeitsmarkt in Deutschland. Die Kürzel sind manchmal etwas verwirrend, so heißt beispielsweise »comp« computing, »alt« alternative oder »comm« communication, etc. Es gibt weltweit Hunderttausende verschiedener Newsgroups.

Weltweite Newsgroups zum Thema Job und Karriere findet man unter:

- http://www.consultants.de/nbp/karriere/newgr.htm
- Yahoo! personalize
  http://www.yahoo.com/business_and_economy/employment/jobs/usenet/

Wer einen eigenen Internet-Service-Provider (z.B. AOL, Compuserve, Vossnet, T-online) bezahlt, kann auch eine **eigene Homepage** ins Netz stellen. In der Regel sind einige Megabyte Speicherplatz auf einem Web-Server kostenlos im Leistungspaket eingeschlossen. Diese Homepage kann als Bewerbungsplattform genutzt werden. Qualifikationen, Abschlüsse oder realisierte Projekte können mit Graphiken, eingescannten Fotos, Zeugnissen und Animationen optisch aufgewertet werden. Hier kann man sein virtuelles Selbstporträt auch zwei- oder mehrsprachig präsentieren. Potentielle Arbeitgeber werden bei einem ersten telefonischen oder schriftlichen Kontakt auf diese Homepage hingewiesen und können sich dort weitergehend über den Bewerber informieren. Bei einer seriösen Bewerbung sind allerdings Urlaubsfotos etc. an dieser Stelle zu vermeiden. Es gibt verschiedene und komfortable Software-Programme, wie z.B. *MS-Frontpage*, die das Erstellen einer eigenen Web-Seite stark vereinfachen. Eine leicht verständliche Anleitung sowie die gesamte benötigte Software und verschiedene hilfreiche Tools findet man im Buch *Erfolgreich Bewerben im Internet* (München: Carl Hanser 1998). Als allgemeiner Ratgeber zu diesem Thema ist empfehlenswert: Hesse/Schrader, *Erfolgreiche Stellensuche und Bewerbung im Internet* (Frankfurt: Eichborn 1999).

Im folgenden erhalten Sie einige sehr nützliche deutsche und ausländische Web-Adressen, die Sie bei der Arbeitsplatzsuche unterstützen. Die Adressen sind nach Ländern geordnet. Zusätzlich finden Sie Adressen für den asiatischen und skandinavischen Raum, da dort das Englische als Geschäftssprache eine wesentliche Rolle spielt. Diese Liste stellt nur einen kleinen Auszug aus dem unüberschaubaren Gesamtangebot dar.

Deutsche Web-Adressen

- Arbeitsamt online
http://www.arbeitsamt.de
→Jobbörse des Arbeitsamts auch mit internationalen Angeboten
- DV-Jobs
http://www.dv-jobs.de
→Reine IT-Jobbörse mit verschiedenen internationalen Angeboten
- Westdeutscher Rundfunk Job und Lehrstellenbörse
http://www.wdr.de/jobs
→Job und Lehrstellenbörse mit guten Suchmöglichkeiten – auch Praktika
- Die Zeit – Stellenmarkt
http://www.jobs.zeit.de
→Meta-Jobsuchmaschine über die verschiedensten deutschen Stellenbörsen. Manchmal etwas langsam
- Careernet
http://www.careernet.de
→Stellenmarkt mit verschiedenen internationalen Angeboten von großen Unternehmen
- Jobs & Adverts
http://www.job.de
→Größter deutscher Internet Stellenmarkt. Mittlerweile sogar mit eigenen Sektionen / Suchbereichen für Thailand (http://www.jobsadverts.co.th) oder die USA (http:www.ja-usa.com)
- Brigitte
http://www.brigitte.de
→Interessante Redebeiträge für Jobs/Ausland und weitere Tips

Großbritannien

- People Bank the Employment Network
http://www.peoplebank.com
→Weltweite Arbeitsvermittlung. Kostenlos für eigene Stellengesuche
- Jobs Unlimited
http://www.jobsunlimited.co.uk/
→Stellenservice der überregionalen Zeitung The Guardian. Hier erscheinen gedruckte Stellenanzeigen online.
- Mediamarket
http://www.emap.co.uk/media/
→Jobbörse für den Bereich Media, Bühne, Film und Fernsehen.
- JobServe
Jobserve.com
→Größter europäischer IT-Stellenmarkt auch für Übersee
- Planet Recruit
http://www.planetrecruit.co.uk
→Weltweite Jobbörse, viel IT
- Job Site
http://www.jobsite.co.uk
→IT-Jobs
- Reed
http://www.reed.co.uk
→Stellenangebote einer der größten privaten Arbeitsvermittlungsagenturen
- Taps
http://www.taps.com
→Umfangreiche Stellenbörse mit vielen großen Unternehmen
- English Nursing Board
http://www.enb.org.uk
→Krankenschwestern und Hebammen
- Careersoft
http://www.careersoft.co.uk
→Jobs für junge Leute, alle Sparten
- UK Directory
http://www.ukdirectory.co.uk
→Bietet hervorragende Suchmöglichkeiten nach Jobangeboten auf britischen Homepages

Irland

- Info Live
  http://www.infolive.ie
  →Großer irischer IT-Stellenmarkt
- Planet Recruit
  http://www.planetrecruit.com
  →Internationale Jobbörse mit vielen Angeboten in Irland
- The Irish Times Recruitment
  http://www.ireland.com/recruit
  →Umfangreiche, täglich erneuerte Suchseite der Irish Times

USA

Der Internet-Stellenmarkt in den USA ist der am weitesten entwickelte. Hier findet man neben großen Stellenmärkten und Suchmaschinen mittlerweile auch sehr spezielle Jobbörsen.

1. Allgemeine Seiten und Suchmaschinen:

- CareerMosaic
  http://www.careermosaic.com
  →Allgemeine, sehr große Suchseite mit *Resume*-Hilfe
- E.span
  http://www.espan.com
  →Große Stellenbörse mit sehr guter Online-*Resume*-Hilfe. Man kann hier sein *Resume* anonym ins Netz stellen.
- JobTrak
  http://www.jobtrak.com
  →Riesiger US-Akademiker Stellenmarkt (ca. 300.000 Unternehmen inserieren hier), auch Praktika
- CareerCity
  http://www.careercity.com
  →Umfangreiche Serviceseite mit Stellenbörse, »Job Fairs«, Gehaltsführer, Hilfe für *Resumes*
- Jobnet
  http://www.jobnet.com
  →Stellenbörse und Karrieremessen (»Job Fairs«)
- Monster Board
  http://www.monster.com
  →Riesige allgemeine Suchseite, Meta-Suchmaschine mit *Resume*-Hilfe
- Careercast
  http://www.careercast.com
  →Meta-Jobsuchmaschinen für die USA

Aufbereitete Stellenanzeigen großer Zeitungen:

- http://www.careerpath.com
  →Zusammenfassung der Stellenanzeigen von 40 Zeitungen
- http://www.fortune.com
- http://www.forbes.com
- http://www.times.com
- http://www.chicago.tribune.com

Übrigens, die gelben Seiten der gesamten USA mit verschiedenen Suchfunktionen sind zu finden unter:

- http://www.bigfoot.com
  oder
- http://www.yahoo.com

2. Branchenbezogene Stellenmärkte

- Worldpoint
  http://www.worldpoint.com
  →Weltweite Vermittlung von Übersetzern
- Online Sports Career Centre
  http://www.onlinesports.com/pages/CareerCenter.html
  →Anstellungen in der Sportindustrie
- Job Engine
  http://www.jobengine.com
  →IT/EDV
- Westech's Virtual Job Fair
  http://www.vjf.com
  →IT/EDV

- SHRM HR Jobs
  http://www.shrm.org
  →Personalwesen/Human Resources Management
- Journalism Jobs
  http://www.uwire.com/jobs
  →Junior Positionen in der Druckindustrie, Fernsehen und im Online-Bereich
- Exec-U-Net
  http://www.execunet.com
  →Manager und Führungspositionen, kostenlose Gesuche
- Jobs for Programmers
  http://www.prgjobs.com
  →Programmierer/EDV
- BankJobs
  http://www.bankjobs.com
  →Bank Industrie
- MBA Central
  http://www.mbacentral.com
  →MBA-Abgänger und -Studenten
- Hot Jobs
  http://www.hotjobs.com
  →IT/EDV
- Star Chefs
  http://www.starchefs.com
  →Köche und Gastronomiepersonal
- Career Web
  http://www.cweb.com
  →Fachkräfte, High Tech und Management
- MedZilla
  http://www. medzilla.com
  →Biotechnologie, Pharmazeutik und andere medizinisch/biologische Gebiete
- National Educators Employment Review
  http://www.thereview.com
  →Lehrer und andere Lehrende
- National Technical Employment Services
  http://www.ntes.com
  →Technische Angestellte
- PursuitNet
  http://www.pursuit.com
  →Fachkräfte, Techniker und Management. Stellenangebote über $35,000 Jahresgehalt
- Attorneys@Work
  http://www.attorneysatwork.com
  →Anwälte und andere Juristen
- JobDirect
  http://www.jobdirect.com
  →Einsteigerjobs für Universitätsabgänger
- ShowBizJobs
  http://www.showbizjobs.com
  →Alles rund um die Unterhaltung: Film, Fernsehen, Themen Parks, Schauspieler, IT/EDV, Kreative etc.
- MedSearch
  http://www.medsearch.com
  →Gesundheitswesen
- Cool Works
  http://www.coolworks.com
  →Coole Jobs in den USA wie Saisonarbeit in National- und Amusementparks, auf dem Wasser, in Skigebieten, auf einer Ranch etc.

Kanada

- Canada Wide
  http://www.canada-wide.com
  →Stellenmarkt mit Schwerpunkt Medizin aber auch umfangreiche Zeitungsanzeigenauswertung
- The Canadian employment search network
  http://canjobs.com
  →Großer Stellenmarkt mit guten Suchfunktionen und Links zu anderen Seiten und Newsgroups
- CareerMosaic Canada
  http://canada.careermosaic.com
  →Ähnlich wie in den USA sehr große Suchseite mit *Resume*-Hilfe
- The Monster Board Canada
  http://english.monster.ca

→Ähnlich wie in den USA sehr große Suchseite mit *Resume*-Hilfe

Australien und Neuseeland

- Byron Employment Australien
  http://www. byron.com.au/employment_australia
  →Großer und übersichtlicher Stellenmarkt
- Jobnet Neuseeland
  http://www.jobnetnz.co.nz
  →Stellenmarkt von Agenturen, Zeitungsanzeigen und Unternehmen
- Career Mosaic Neuseeland
  http://www.career.co.nz/cmnz.html
  →Großer und übersichtlicher Stellenmarkt
- Anderson Contracting
  http://www.swcontracting.com.au
  →Viele IT/EDV Positionen
- Sydney On-Line Employment
  http://www.bitme.com.au/semployment/
  →Lokale Börse für Sydney, größtenteils IT
- JobNet
  http://www.jobnet.com.au/
  →IT, Management
- Monster Board Australia
  http://www.monsterboard.com.au/
  →Ähnlich wie die US-Seite aufgebaut. Gute Suchmöglichkeiten
- Fairfax IT-Jobs
  http://www.itjobs.fairfax.com.au/
  →Große IT/EDV Stellenbörse

Südafrika

- Job Navigator
  http://www.jobs.co.za
  →Vor allem für den IT-Bereich
- Niche Online Employment Service
  http://www.pix.za/dragnet/niche.htm
  →Viele Angebote für IT und Fachkräfte
- SA Jobweb
  http://www.2.nis.za/jmjobweb.htm
  →Web-Seite mit vielen Links zu vielen unterschiedlichen südafrikanischen Jobbörsen und Arbeitsvermittlern

Skandinavien

- Jobshop
  http://www.jobshop.dk
  →Dänische Jobbörse
- Jubii
  http://www.jubii.dk
  →Dänische Suchmaschine
- Adecco
  http://193.89.25.102/ie/ie4-ha.html
  →Unterschiedlichste Jobs in Dänemark von einem der weltgrößten privaten Arbeitsvermittler
- Unitversitetet i Oslo
  http://stillinger.uio.no
  →Norwegische Job-Suchmaschine der Universität Oslo
- Escape from America Overseas Jobs
  http://www.escapeartist.com/norway/norway5.htm
  →Viele nützliche Infos und Links zu Stellenmärkten
- Arbetsfvmedling
  http://www.amv.se
  →Schwedischer Stellenmarkt des Arbeitsamtes, auch in Englisch
- Jobline.se
  http://www.jobline.se
  →Schwedische Jobbörse
- Search&Select
  http://www.search-select.se
  →Schwedischer privater Arbeitsvermittler
- Manpower Sweden
  http://www.manpower.se

→Unterschiedlichste Jobs in Schweden vom weltgrößten privaten Arbeitsvermittler

- Mol
  http://www.mol.fi
  →Finnische Jobbörse

Asien

- Job Access
  http://www.jobaccess.com
  →Große, den gesamten aiatischen Raum umfassende Stellenbörse
- Asia-net
  http://www.asia-net.com
  →Große Stellenbörse, ebenfalls für ganz Asien
- Singapore Online Job Resources
  http://www.singapore.com/jobs.htm
  →Auch über Singapur hinausgehende Jobbörse
- Career Mosaic Japan
  http://www.careermosaic.or.jp
  →Groß und übersichtlich
- Career Mosaic Korea
  http://www.careermosaickorea.com
  →Koreanischer Ableger von Career Mosaic
- The Indian Employment Exchange
  http://www.recruitmentindia.com
  →Groß und übersichtlich, viele IT-Angebote

Private Arbeitsvermittler

Private Arbeitsvermittlungsagenturen (engl. *recruitment agency oder employment agency*) gibt es seit 1994 (Wegfall des Monopols des Arbeitsamtes) auch in Deutschland. Im gesamten englischsprachigen Raum ist der Arbeitsmarkt dagegen schon seit vielen Jahren liberalisiert, und so findet man dort auch eine verwirrende Anzahl von Vermittlungsagenturen.

In den meisten Fällen kümmern diese sich um Branchen. Es gibt Agenturen, die ausschließlich Controller, Computerfachleute, Handwerker, Übersetzer, Haushaltskräfte, Erzieherinnen, Mehrsprachler, Künstler, Sportler usw. vermitteln. Es ist sinnvoll und üblich, sich bei mehreren Agenturen gleichzeitig vorzustellen. Diese stehen mit unterschiedlichen Kunden (d.h. Arbeitgebern) in Kontakt und können daher unterschiedliche Anstellungen anbieten.

Das Bewerbungsverfahren über eine Agentur verläuft genauso wie die »normale«, direkte Bewerbung bei einem potentiellen Arbeitgeber. Kurz zum Verständnis: Die Vermittlungsagenturen werden ausschließlich von den Arbeitgebern für ihren Service bezahlt, diese gesetzliche Regelung gilt weltweit. Die Agentur bekommt erst bei einem Arbeitsvertragsabschluß zwischen Kandidat und Unternehmen ihren Aufwand vergütet.

Der Such- und Selektionsservice der Agenturen spart den Arbeitgebern ganz erhebliche Rekrutierungskosten für geeignete Kandidaten.

Auch die Agenturen arbeiten gewinnorientiert, oft mit denkbar knappen Ressourcen, und wollen verständlicherweise mit möglichst wenig Einsatz möglichst viel Gewinn machen. Angesichts der täglich bei den Agenturen eingehenden Menge von Bewerbungen muß man sich auch dort mit seinen Unterlagen erst einmal gegen die Konkurrenz durchsetzen. Eine Bewerbung wird nur dann berücksichtigt, wenn die Agentur eine Chance sieht, den Bewerber zu vermitteln und damit Geld zu verdienen.

Bei einer erfolgversprechenden Bewerbung wird der Kandidat entweder zu einem *Interview* eingeladen oder am Telefon zu Person und Qualifikation befragt. Dieses *Interview* ist noch kein Vorstellungsgespräch, aber trotzdem kann man sich natürlich auch hier schon für eine Position qualifizieren oder disqualifizieren. Die Athmosphäre ist in der Regel sehr freundlich und unkompliziert. Steht ein Gespräch mit einem Arbeitgeber bevor, dann geht es der Agentur darum, den Kandidaten, in den bereits Arbeit und Geld investiert worden ist, auf das *Interview* bei einem Arbeitgeber mit Tips zum Verhalten, zur Gesprächsstrategie etc. vorzubereiten.

Auch Vermittlungsagenturen können als Arbeitgeber auftreten. Sie verleihen dann die Bewerber zeitlich befristet an auftraggebende Firmen. Man ist in einem solchen Fall, wie auch bei uns bekannt, als Zeitarbeiter angestellt. Hier wird der Arbeitsvertrag mit der Agentur geschlossen, und auch das Vorstellungsgespräch wird mit dem Arbeitsvermittler geführt. Diese Form der Zeitarbeit nennt sich in Großbritannien »temping«, sie ist dort allerdings noch nicht ganz so verbreitet wie in den USA, wo sie sich auch auf gehobenem Fachkräfteniveau durchgesetzt hat und dann »contracting« heißt. Es gibt einige Vorteile bei einem solchen Arbeitsverhältnis. Im allgemeinen ist aber das eigene Gehalt beim »temping« geringer als bei einer festen Anstellung direkt bei einem Unternehmen, denn die Agentur schneidet sich natürlich auch ein Stück vom Lohnkuchen ab – und zwar meistens kein kleines.

☺ Noch ein wichtiger Tip zum Schluß: Die private Arbeitsvermittlung ist ein lokales Gewerbe. Nur wenige Agenturen vermitteln Kandidaten über Grenzen hinweg und wenn, dann meist in Zusammenarbeit mit Partneragenturen, die wiederum die eigenen lokalen Märkte und Unternehmen kennen. Kandidaten aus dem Ausland zu rekrutieren ist nur in wenigen Bereichen wie der IT/EDV-, Modell- oder Sportbranche oder im Bereich der Führungskräfte üblich. Im allgemeinen sind die Agenturen und Unternehmen solchen Bewerbern gegenüber etwas reserviert. Dies hat verschiedene Gründe: z.B. die anfallenden Umzugskosten (*relocation*) oder die Befürchtung, daß ausländische Bewerber unvorhergesehene Probleme mit der neuen Umgebung bekommen und deshalb vorzeitig aus dem Unternehmen ausscheiden.

Verständlicherweise reagieren daher Agenturen und Unternehmen ganz anders auf Unterlagen von Kandidaten, die bereits den Sprung ins kalte Wasser gewagt haben und sich direkt vor Ort bewerben. Vor allem in Branchen mit geringer Nachfrage an Arbeitskräften oder bei Bewerbern mit nur durchschnittlichen Qualifikationen ist eine Bewerbung aus einem anderen Land fast immer ein K.O.-Kriterium.

Hier gibt es trotz eventueller organisatorischer Schwierigkeiten nur eine Möglichkeit: Eine lokale Adresse in seinem Lebenslauf angeben. Unter Umständen die Anschrift von Freunden und Bekannten, die dann Telefonate, Faxe oder Briefe entgegennehmen und an Sie weiterleiten. Besonders innerhalb Europas hat sich dieses Verfahren bewährt. Der Termin für das Vorstellungsgespräch wird dann telefonisch arrangiert und sollte natürlich so gewählt werden, daß gleich mehrere Gespräche während eines Aufenthalts geführt werden können.

Adressen von Vermittlungsagenturen sind im Internet zu finden oder in den Gelben Seiten des jeweiligen Landes unter »Recruitment« oder »Employment Agencies«. Die US-Yellow Pages können als recherchefähige Datenbank unter http://www.bigfoot.com oder http://www.yahoo.com aufgerufen werden. Andere Gelbe Seiten sind unter »Yellow Pages+Ländername« mit jeder beliebigen Suchmaschine zu finden. Arbeitsvermittlungsagenturen sind auch direkt auf den *Monster Board*-Seiten (s.S. 27 ff.) der einzelnen Länder abrufbar. Und auch in Printmedien sind Agenturen präsent.

Stellenanzeigen in Printmedien

Hierzulande spielt sich ein Großteil der Arbeitsuche immer noch auf den Anzeigenseiten der Printmedien ab, in regionalen und überregionalen Zeitungen sowie in Fachzeitschriften.

In den Stellenmärkten großer überregionaler Zeitungen wie *Frankfurter Allgemeine Zeitung* (*FAZ*), *Süddeutsche Zeitung*, *Die Welt* oder *Die Zeit* (besonders für den akademischen Bereich) finden sich im Rahmen der zunehmenden Globalisierung auch immer mehr internationale Stellenangebote.

Ausländische Zeitungen sind in den Zeitschriftenläden größerer Bahnhöfe oder Flughäfen erhältlich. Leider sind sie oft schon mehrere Tage alt und enthalten teilweise auch nicht die Stellenmärkte der Inlandsausgaben. Es ist folglich ratsam, vor dem Kauf die Zeitungen nach Stellenanzeigen durchzublättern. Findet man Angebote von Vermittlungsagenturen, dann kann man davon ausgehen, daß diese unabhängig von den konkreten Stellenangeboten noch weitere interessante Arbeitsangebote haben. Um fachbezogene Arbeitsvermittlungsagenturen zu finden, kann sich ein Blick in Fachzeitschriften lohnen.

Jede Zeitung hat zusätzlich zur Printausgabe in der Regel eine eigene Präsenz im Internet, dort findet man neben den redaktionellen Beiträgen häufig auch den Stellenmarkt der jeweiligen Ausgaben. Die Angebote erscheinen meist zeitgleich oder leicht verzögert mit der jeweiligen gedruckten Ausgabe. Es lohnt sich also auch hier, das Netz nach den verschiedenen Zeitungsstellenmärkten zu durchsuchen (vgl. o. »Jobsuche via Internet«).

Kontaktmessen: *Career fairs*

Career fairs oder auch ***job fairs*** sind im anglo-amerikanischen Raum ein weitverbreitetes und anerkanntes Instrument zur Rekrutierung von Fach- und Führungskräften. Auch im deutschsprachigen Raum sind diese Messen immer häufiger zu finden. Ob *career fair*, Kontaktmesse, Absolventenkongreß, wie auch immer die deutsche Namensgebung ausfällt – hier bietet sich die Möglichkeit, mit vielen potentiellen Arbeitgebern gleichzeitig Kontakt aufzunehmen.

In Deutschland stellen sich auf Kontaktmessen vorwiegend Blue-chip-Unternehmen (d.h. führende Firmen) vor, vorwiegend aus den Sektoren Banken, Handel, Versicherungen, Industrie, Telekommunikation oder IT/EDV. Im anglo-amerikanischen Raum dagegen gibt es *career fairs* für fast alle Branchen, egal ob für Krankenhauspersonal oder Lehrer, ob für Praktika, Sommerjobs oder Zeitarbeit. In der Regel werden diese *career fairs* von einem oder mehreren Colleges durchgeführt.

Daneben gibt es mittlerweile auch eine Vielzahl professioneller Organisationen, die solche Börsen organisieren.

Es bietet sich an, bei einem Besuch vor Ort eine oder mehrere Kontaktmessen zu besuchen. Für einige »fairs« ist eine Einladung notwendig, andere sind öffentlich. Am besten erkundigt man sich beim Veranstalter.

Die Suche nach diesen Kontaktmessen lohnt sich für jedes englischsprachige Land, nicht nur für die USA. Benutzen Sie die oben aufgeführten Suchmaschinen, Web-Adressenlisten und Newsgroups als Ausgangspunkt für Ihre Suche. Eine kleine Auswahl von amerikanischen *career fairs* findet man z.B. unter:

- www2.jobtrak.com/employers/calendar/index.html
- http://www.jobnet.com/jobseekr/jobfairs.htm

Auch **internationale Messen** oder ***trade fairs*** können eine gute Ausgangsplattform sein, um eine ansprechende Anstellung im Ausland zu finden. Häufig sind dort die Personalabteilungen von weltweit renommierten Unternehmen vertreten. Es lohnt sich also, mit Lebensläufen und Präsentationsmappen bewaffnet über CeBIT, Systec, IAA, Infrastructa, Hannover Messe, IMM, ENTSORGA oder EuroShop zu schlendern und Kontakte zu knüpfen.

Informationssuche in Unternehmens-Datenbanken

Es gibt die unterschiedlichsten Sammlungen und Archive von Unternehmensdaten. Dort sind Informationen über Namen, Adressen, Filialen, Geschäftsführung, Beschäftigtenzahlen und Produkte der einzelnen großen Unternehmen eines Landes zusammengetragen. Eine große Hilfe also bei der Arbeitssuche im In- und Ausland und auch für das Vorstellungsgespräch vielleicht von entscheidender Bedeutung.

Leider sind solche Datenquellen meist sehr teuer. Zu empfehlen ist das Buch *Jobs Almanac 1999* (Adams Media Corporation, erhältlich im Internet unter http://www.amazon.com), eine umfangreiche und günstige Sammlung von 7.000 US-Arbeitgebern. Ein ähnliches Werk für Großbritannien, das ca. 8.000 Unternehmen enthält, ist *The Personnel Manager's Yearbook: 1999* (für ca. £ 70,00 zu bestellen bei: AP Information Service, Roman House, 296 Golders Green Road, London NW11 9PZ, Tel.: 0044/181/455 4550, Fax: 0044/181/455 6381).

Günstiger ist es, sich diese Informationsquellen in Universitätsbibliotheken oder speziellen Bibliotheken wie den Commerzbibliotheken der IHK zu erschließen, wo Sie umfangreiche Angaben über tatsächliche oder potentielle Handelspartner deutscher Unternehmen finden können. Häufig sind das auch die führenden Unternehmen auf den ausländischen Märkten.

Auch hier bietet sich wieder das Internet als Informationsquelle an. US-amerikanische Firmeninformationen finden sich z.B. unter

- http://www.thomasregister.com
- http://www.hoovers.com/careersmain.html

☺ Nicht selten werden in Adressensätzen der Unternehmen die Manager oder Entscheidungsträger, d. h. Ihre Ansprechpartner, genannt, doch häufig sind diese Informationen schon überholt. Ein kurzes Telefongespräch schafft hier schnell Klärung, zeigt Engagement und kostet nicht viel.

Informationsaufenthalte vor Ort

Selbstverständlich lohnt es sich, den nächsten Urlaub zu nutzen, um sich über den jeweiligen Arbeitsmarkt zu informieren. Man kann sich vor Ort bei Karrieremessen umschauen und Arbeitsvermittler oder Unternehmen persönlich aufsuchen. Wichtig: Da es oft nicht möglich ist, einen Entscheidungsträger spontan zu besuchen, sollten Termine schon mehrere Wochen vorher vorbereitet werden. Wie Sie am Telefon erfolgreich einen Termin vereinbaren, erfahren Sie im nächsten Kapitel.

Ist Ihr Auslandsaufenthalt etwas länger, dann sollten Sie versuchen Kontakte zu knüpfen, die bei der Arbeitssuche weiterhelfen. Dieses **Networking** ist besonders in den USA, aber auch in Australien und Neuseeland eine ganz eigene Kunst, die hierzulande in viel geringerem Umfang ausgeübt wird. Es gehört bei uns einfach nicht zum guten Ton, sich mit einem persönlichen Anliegen an einen Unbekannten zu wenden. Anders in den genannten Ländern. Dort geht man unbefangener auf unbekannte Personen zu und kommt auf der Straße ebenso schnell wie in einem Frühstückslokal oder im Bus mit Menschen ins Gespräch. Auch im beruflichen Alltag gibt es weniger Hemmungen. Trifft man bei seinen Sondierungsgesprächen auf jemanden mit ein wenig mehr Zeit, dann werden Fragen nach freien Stellen im Unternehmen meist genauso gerne beantwortet wie Fragen zur Branchenentwicklung, gesuchten fachlichen Qualifikationen etc. Hat ein Unternehmen keine offene Stelle anzubieten, dann kann man sich bei seinem Gesprächspartner auch durchaus nach einer Vakanz bei einer anderen Firma derselben Branche erkundigen. Es gilt, möglichst viele und wichtige Informationen zu sammeln, um sich einen entscheidenden Vorteil gegenüber der Konkurrenz zu verschaffen.

Ein Auslandsaufenthalt kann auch ein Ausweg aus der Arbeitslosigkeit sein. Deshalb besteht die Möglichkeit, sich das Arbeitslosengeld europaweit transferieren zu lassen. Allerdings gibt es Fristen und Anträge, die zu beachten sind.

3. Das Sondierungstelefonat

Bei Bewerbungen im anglo-amerikanischen Raum ist es unumgänglich, zunächst ein Sondierungstelefonat mit dem potentiellen Arbeitgeber zu führen. Die Telefonkosten dieser Aktion sind überschaubar (ein Gespräch in die USA kostet heute soviel wie vor 2 Jahren ein Telefonat von Hamburg nach Frankfurt). Dabei kommt dem ersten persönlichen Kontakt eine tragende Rolle zu: Durch dieses Telefonat gelangt man an entscheidende Informationen und hinterläßt auch gleichzeitig einen ersten Eindruck von sich. Insbesondere bei Initiativbewerbungen kommt dem Sondierungsgespräch eine Schlüsselfunktion zu, denn nur hier kann erfragt werden, ob im Unternehmen Vakanzen bestehen und welche Qualifikationen gesucht werden. Das Verschicken von reinen Blindbewerbungen, ohne Ansprechpartner und ohne zuvor erste Informationen eingeholt zu haben, ist im gesamten angloamerikanischen Raum unüblich. Die Erfolgsquoten sind bei dieser Vorgehensweise sehr schlecht (vgl. »Kurzprofil: *Skills Resume*«, S. 127).

In einem Sondierungstelefonat sollte der Bewerber an folgende wichtige Informationen gelangen:

- den Namen des Verantwortlichen für Personalfragen
- die korrekte Schreibweise des Namens des Ansprechpartners (ein falsch geschriebener Name fällt sehr unangenehm auf)
- bei Bedarf: die komplette Anschrift
- die E-Mail-Adresse und welche Textverarbeitungsprogramme verfügbar sind
- die Faxnummer
- ob Bewerbungsunterlagen, *application forms*, auszufüllen sind (s.u.)
- in den USA: ob der *Resume* eingescannt wird (s.u.)
- ob die bereits vorhandenen Informationen über das Unternehmen zutreffend sind.

Es ist wichtig, sich auf das erste Gespräch optimal vorzubereiten. Machen Sie sich noch einmal klar, wie Ihre Selbstmarketingstrategie auszusehen hat. Sehr empfehlenswert ist es, sich auf mögliche Fragen und Antworten des Gesprächspartners schriftlich vorzubereiten. Die schriftliche Vorbereitung trägt zum späteren flüssigen Gesprächsablauf bei. Ein kurzer Blick auf das Papier führt zur nächsten wichtigen Frage und verhindert den Eindruck von Unsicherheit. Förderlich ist es auch, das Gespräch vorher mit Freunden oder Bekannten durchzugehen oder als Übung zunächst nur die weniger interessanten Arbeitgeber anzurufen. Alle Unterlagen über Ihr vorheriges Berufsleben, Ausbildung und Fähigkeiten sollten Sie parat haben. Bereiten Sie auch ein paar nützliche Standard-Fragen vor.

Beispiel: »I am calling to find out whether you have any vacancies for a technical engineer within your company? Who is the person responsible for recruiting within your company? Is it possible to talk to her/him?«
»As I am German I am not yet familiar with the spelling of English names – How do I spell this/your name please?«

Anmerkung: Was Praktika betrifft, so gibt es in den meisten großen Unternehmen einen *Training Officer* als Ansprechpartner. Falls nicht, wenden Sie sich an den *Personnel Manager* oder den *Human Resources Manager*.

Oft wird man Sie nicht so ohne weiteres zu der entscheidenden Person durchstellen – das persönliche Gespräch ist jedoch sehr wichtig. Um also dennoch das gesteckte Ziel zu erreichen, sollte Ihr Auftritt möglichst charmant und geduldig sein. Die freundliche Verbrüderung mit einer Sekretärin ist oft die erfolgreichste Art und Weise, einen Termin bei deren Vorgesetzten zu erhalten. Bei wiederholten Mißerfolgen lassen Sie sich den Namen des Ansprechpartners buchstabieren und verschicken dann die Unterlagen. Beim Nachfassen ergibt sich dann eine zweite Chance zum persönlichen Kontakt mit dem Entscheidungsträger. Ist man endlich durchgestellt worden, sollte man zunächst klären, ob der Gesprächspartner seinerseits zu einem kurzen Gespräch bereit ist und dann schnell und präzise sein Anliegen vorbringen.

Beispiel: »My name is Klaus Mustermann (from Germany) is it possible that you could spare a brief moment to talk to me?.
Yes – that's great, I am calling regarding a job application as....
No – when is it more convenient for you to talk... tomorrow/next week?«

4. Die englischen Bewerbungsunterlagen: *Curriculum Vitae/Resume* und *Covering Letter*

In diesem Kapitel geben wir Ihnen eine umfassende Anleitung für das Erstellen englischsprachiger Bewerbungsunterlagen. Es werden alle formellen Fragen beantwortet, die wichtigsten Unterschiede zu den im deutschsprachigen Raum üblichen Bewerbungsunterlagen erklärt sowie Besonderheiten innerhalb des angloamerikanischen Raums dargestellt. Jeweils am Ende eines Kapitels finden Sie exemplarische Anschreiben und Lebensläufe. Es bietet sich an, aus diesen ein passendes Beispiel auszusuchen und als Grundlage für die eigene Kreation zu benutzen. Weitere Hilfe beim Verfassen der Bewerbungsunterlagen finde Sie z.B. im Internet unter:

- http://www.careermosaic.com
- http://www.monster.com
- http://www.espan.com
- http://www.users.bigpond.com/top.margin_resumes (Australien)

Anders als bei uns gewohnt, benötigt man für eine englischsprachige Bewerbung nur ein Anschreiben und einen Lebenslauf. Das gilt weltweit. Das Anschreiben heißt im Englischen *Covering Letter* oder *Cover Letter*, den Lebenslauf bezeichnet man als *Curriculum Vitae (CV)* oder *Resume*. Die Begriffe *Resume* (Betonung auf der ersten Silbe, gesprochen »Resümé«, nicht zu verwechseln mit *to resume*!) und *Cover Letter* sind vor allem in den USA gebräuchlich, aber auch in allen anderen englischsprachigen Ländern bekannt. Wenn im folgenden von *CV* und *Covering Letter* die Rede ist, ist auch die amerikanische Version gemeint, es sei denn, wir weisen ausdrücklich auf Unterschiede hin.

Beim Erstellen von englischen Bewerbungsunterlagen sind einige Besonderheiten zu beachten. Hier muß es allein mit Anschreiben und Lebenslauf (ohne Zeugnisse, Foto etc.) gelingen, den Personalverantwortlichen auf den Bewerber neugierig zu machen und einen Termin für ein Vorstellungsgespräch zu bekommen. Dieses Ziel ist selbstverständlich nur zu erreichen, wenn die Anforderungen des Unternehmens mit den Interessen, dem Persönlichkeitsprofil und natürlich auch den Qualifikationen und Fähigkeiten des Bewerbers übereinstimmen. Die einzige Möglichkeit, eine Übereinstimmung zu erzielen (wichtig: diese muß nicht von Ihnen, sondern vom Leser erkannt werden), sind Ihre Bewerbungsunterlagen.

Dementsprechend kann man beim Verfassen dieser Unterlagen nicht sorgfältig genug vorgehen. Es geht nicht darum, möglichst viele Bewerbungen zu verschicken, sondern gezielt nach *einer* geeigneten Position zu suchen, um im besten Fall mit einer einzigen oder mit wenigen Bewerbungen erfolgreich zu sein. Es ist sehr oft zu beobachten, daß Anforderungs- und Qualifikationsprofil bei Kandidat und Unternehmen zwar übereinstimmen, daß aber alleine aufgrund mangelhafter Bewerbungsunterlagen der Kandidat nicht in die engere Wahl genommen wurde. Neben generellen sprachlichen Schwierigkeiten sind es häufig die folgenden Faktoren, die zum Mißerfolg führen:

- unübersichtlicher Aufbau des *CV/Resume*
- unzureichende und lückenhafte Angaben über Fähigkeiten, Kenntnisse, bisherige Aufgabengebiete; der Arbeitgeber muß zwischen den Zeilen lesen, um auf die Fähigkeiten des Kandidaten zu schließen
- falsche Berufs- und/oder Abschlußbezeichnung – ein Fehler, der die Qualifikation des Bewerbers in einem vollkommen ungewollten Licht erscheinen läßt
- kein vorheriges Sondierungstelefonat und damit kein direkter Adressat/Ansprechpartner
- kein Nachfassen nach Eingang der schriftlichen Bewerbung, daraus schließt der Arbeitgeber auf geringes Interesse des Bewerbers
- die Unterlagen wurden an zu wenige oder falsche Arbeitsvermittler (falsche Branche) verschickt
- formale Fehler (Foto, Unterschrift, zeitliche Auflistung etc., s.u.)
- deutschsprachige Kandidaten treten oft zu bescheiden auf
- schlechte Vorbereitung – der Kandidat hat sich nicht ausreichend informiert über Anforderungen, Unternehmenskultur etc.

Es ist wichtig, daß man sich immer wieder klar macht, was Bewerbungsunterlagen im Grunde sind: Sie sind ein Werbeprospekt für die eigene Person. Mit diesem »Prospekt« soll das Interesse eines unbekannten Empfängers an der Arbeitsleistung und der Person des Bewerbers geweckt werden. Ziel ist es, für die angebotene Leistung einen möglichst hohen Gegenwert zu erhalten. Für eine gezielte und überzeugende Präsentation der eigenen fachlichen und persönlichen Qualifikationen und Fähigkeiten müssen sich Inhalt, Stil und die äußere Form der Unterlagen geschickt ergänzen. Entscheidend ist, daß der Personaler innerhalb kürzester Zeit (es geht hier wirklich um »Augenblicke«, schon das Betrachten der Bewerbung sollte Interesse wecken!) das Profil des Bewerbers vor Augen hat. Gelingt es Ihnen als Bewerber nicht, ein schnell greifbares, positives Bild von sich zu vermitteln, dann endet Ihre Laufbahn schnell im Papierrecycling. Eine übersichtliche und klare Gliederung ist deshalb ein sehr wesentlicher Aspekt einer guten Bewerbung. Es lohnt sich also, beim Verfassen der Bewerbungsunterlagen gründlich zu sein.

Bitte verzagen Sie jetzt nicht, in mancher Hinsicht ist der Einstieg in die englische Arbeitswelt nämlich einfacher als bei uns. Bewerbungsmappen mit Zeugnissen, Lichtbild, einem Lebenslauf, der bis zurück zur Grundschule reicht und den Beruf der Eltern und den Geburtsnamen der Mutter enthält, sind eine typisch deutsche Eigenheit, die bei einem englischen Arbeitgeber auf Unverständnis stoßen wird.

☺ Sehr hilfreich bei etwas wackeligen Englischkenntnissen ist die Möglichkeit der automatischen Rechtschreibprüfung in der englischer Sprache bei verschiedenen Textverarbeitungsprogrammen, z.B. MS Word. Dabei kann man auch zwischen den Varianten des Englischen wählen. Auf diese Weise läßt sich sehr einfach ein Großteil der anfallenden Rechtschreibfehler vermeiden. Um die Sprache auszuwählen, wählt man die Menüpunkte »Extras«, »Sprache«, »Sprache bestimmen« und klickt dann auf die gewünschte Sprache, z.B. Englisch (USA) und auf »Standard«. Die aktivierte Rechtschreibprüfung wird nun das Dokument auf Rechtschreibfehler untersuchen.

Die äußere Form der Bewerbungsunterlagen

Wie Sie schon gesehen haben, ist es wichtig, *CV* und *Covering Letter* übersichtlich aufzubauen. Es gilt: Kürzer ist besser, aber ohne auch nur ein einziges wichtiges Detail auszulassen. Benutzen Sie kurze und aussagekräftige Sätze. Als Richtlinie gilt: maximal 20 Wörter pro Satz. Auch sinnvolle Aufzählungszeichen haben sich sehr bewährt. An Stelle der Umlaute »ä«, »ö«, »ü«, die im Englischen unbekannt sind, benutzen Sie besser die Schreibweise »ae«, »oe« oder »ue«, und aus »ß« macht man »ss«.

Für *Covering Letter* und *CV* sollte im Normalfall einfaches weißes Papier von hoher Qualität, gerne auch schwerer als die üblichen 80 Gramm, verwendet werden. Man wählt für alle Unterlagen das gleiche Papier, damit sich *CV* und *Covering Letter* als eine Einheit präsentieren. Luftpostpapier ist für Bewerbungen denkbar ungeeignet, da es zu dünn ist und wenig repräsentativ aussieht. Farbige oder gemusterte Papiere sollten nur bei einer Bewerbung im künstlerischen Bereich zum Einsatz kommen. Alle Blätter werden immer nur einseitig beschrieben. Die USA (und ausschließlich die USA) gehen bei der Papierwahl einen Sonderweg. Hier ist es üblich und gehört zum guten Ton, dezent marmoriertes oder gemustertes und/oder gefärbtes Papier (hellgrau, blau, braun, grün oder auch gelb) zu verwenden. Wie gesagt, diese Papierwahl ist nur in den Vereinigten Staaten üblich. In Großbritannien, Irland, Australien etc. ist ein solches Auftreten unerwünscht. Dort findet ausschließlich weißes oder evtl. ganz sanftblau oder graugetöntes Papier Anklang.

Heute ist es üblich, die Bewerbungsunterlagen auf dem Computer zu erstellen (handgeschriebene *CVs* sind unerwünscht!). Auf jedem Rechner stehen verschiedene Schriftarten (»fonts«) zur Verfügung. Bei der Auswahl und Verwendung der Schriften ist folgendes zu berücksichtigen: Als Schrifttyp scheiden verschnörkelte, zu zarte oder plumpe Schriftarten aus. Sie vermitteln nicht das angestrebte seriös-übersichtliche Schriftbild. Außer den Klassikern für Geschäftsbriefe, *Times New Roman*, *Arial* und *Courier*, bieten sich z.B. an:

- Dies ist die Schrift Bookmann Old Style
- Dies ist die Schrift Garamond
- Dies ist die Schrift Verdana
- Dies ist die Schrift Amer
- Dies ist die Schrift Futura

Empfehlenswert ist die Verwendung von nur einer Schriftart für *CV* und *Covering Letter*, denn durch wechselnde Schriften fehlt es dem Layout leicht an Geschlossenheit.

Abweichen von dieser Regel kann man, wenn man sich sein eigenes Briefpapier mit Name, Adresse, Telefonnummer, E-Mail-Adresse etc. am Computer gestaltet. Dies ist mit der modernen Software recht einfach und wirkt sehr professionell – wenn man einen Blick für Gestaltung hat. Sie können auf die verschiedensten Schriften zurückgreifen. Wenn der seltene Fall eintritt, daß der Arbeitgeber einen handgeschriebenen *Covering Letter* als Schriftprobe verlangt, sollte das handschriftliche Schriftbild durch solch einen gedruckten Briefkopf unterstützt werden.

Für Bewerber im kreativen/künstlerischen Bereich gelten andere Maßstäbe. Dort wird oft genau das Gegenteil einer seriösen und dezenten Bewerbung erwartet, nämlich eine ausdrucksvolle und originelle Präsentation. Hier kann man als Bewerber neben aufwendigen und eigenwillig designten »konventionellen« Bewerbungen in Schriftform auch Mobilees, selbst entworfene Spiele, Segel etc. verschicken. Diese »bunte Strategie« birgt zwar immer das Risiko in sich, daß der Personalentscheider nicht den gleichen Geschmack teilt – zumindest ragt man aber weit aus der grauen Masse heraus, und damit steigen die Chancen, das eigene Anliegen und die Visionen persönlich erörtern zu können.

Nehmen Sie sich viel Zeit für das Erstellen der Bewerbungsunterlagen und haben Sie Geduld. Es ist noch kein Meister vom Himmel gefallen, das gilt besonders für das Formulieren in einer Fremdsprache. Tauchen dort größere Schwierigkeiten auf, dann sollten Sie nicht zögern, sich Hilfe zu organisieren. Das bremst den aufkommenden Frust. Wer für das Verfassen seiner Unterlagen keine Zeit hat oder einfach nur unsicher ist, der kann sich auch von professioneller Seite helfen lassen und sich an Agenturen wenden, bei denen häufig Muttersprachler die Bewerbungspapiere in die richtige Form bringen.

☺ Hierzu noch einen Tip: Perfekte, von einem Muttersprachler erstellte Unterlagen können beim Gegenüber eine gewisse Erwartungshaltung bezüglich der Sprachkenntnisse und des praktischen Sprachgebrauchs auslösen. Wenn sich beim Vorstellungsgespräch herausstellt, daß hier ein falsches Bild gezeichnet wurde, ist die Enttäuschung auf Arbeitgeberseite groß, und die Chancen auf eine Anstellung sinken rapide. Hier kann man vorbeugen, indem bewußt Fehler in die Unterlagen eingebaut werden oder anstelle einer leichtfüßigen Formulierung eine etwas plumpere vorgezogen wird.

Taktische Tips

Der *Curriculum Vitae* ist der Teil der Bewerbungsunterlagen, auf dessen Formulierung man den meisten Ehrgeiz und die größte Sorgfalt verwenden sollte, denn der *CV* wird bei jeder Bewerbung mitgeschickt, während der *Covering Letter* für jede angestrebte Position neu erstellt wird und durch einige Tricks zudem sehr knapp gehalten werden kann (s.u.). Auf der anderen Seite können im *Covering Letter* durch fließende und zusammenhängende Formulierungen natürlich auch umfassende fachliche und sprachliche Kenntnisse dargestellt werden.

Versetzen Sie sich in die Lage eines Personalers, der täglich Hunderte von Bewerbungen zu sichten hat und sich nach wenigen Minuten des Durchsehens mit seinen Gedanken schon im nächsten Sommerurlaub befindet, anstatt sich auf monotone, nichtssagende und immer gleich aussehende Unterlagen zu konzentrieren. Jeder, der schon einmal in dieser Position war, wird bestätigen, wie dankbar eine gut gestaltete und übersichtliche Bewerbung aufgenommen wird. Wer das beherzigt, bekommt nicht selten die entscheidende Aufmerksamkeit geschenkt. Stimmen auch die Qualifikationen und Kenntnisse, so kommt die Bewerbung im ersten Anlauf zumindest auf den richtigen Stapel mit vielleicht anderen 30–60 Bewerbungen, die intensiver studiert werden.

Bei einer zweiten Durchsicht wird dem einzelnen Kandidaten deutlich mehr Zeit gewidmet. Die tatsächliche Einladung zu einem Vorstellungsgespräch wird aber nur dann erfolgen, wenn der Kandidat in beruflichen Qualifikationen und persönlichen Fähigkeiten in wesentlichen Punkten dem Anforderungsprofil entspricht. Daher sollte jeder *CV* genau auf ein *job target*, auf die anvisierte Stelle, zugeschnitten sein. Gibt es mehrere grundlegende Optionen bei der Jobsuche, sollte man auch mehrere Lebensläufe erstellen, um je nach Arbeitgeber die entscheidenden Fähigkeiten und Kenntnisse entsprechend zu betonen.

Etwas schwierig ist es, den rechten Ton bei der Formulierung der englischen Bewerbungsunterlagen zu finden. Wird in Großbritannien, Irland oder Australien mit der Selbstdarstellung noch etwas zurückhaltend umgegangen, so stellt sich in den USA der Eisverkäufer mit einem eigenen kleinen Straßenstand regelmäßig als ein Manager im Genußmittelsektor vor, der den Umsatz der eigenen Filiale um 30% innerhalb eines halben Jahres, also während der Eissaison, steigern konnte. Wer das Spiel nicht beherrscht oder mit falscher Bescheidenheit auftritt, verpaßt die guten Jobs. Diese, im gesamten anglo-amerikanischen Raum bekannte Bewerbungsstrategie wird *extended truth*, »erweiterte« Wahrheit genannt. Hierbei handelt es sich um eine Strategie von, in Bewerbungen gemachten, wohlkalkulierten Übertreibungen und sogar teilweise falschen Angaben mit dem Ziel, die eigenen Kenntnisse und Erfahrungen umfangreicher oder besser auf den Job zugeschnitten erscheinen zu lassen und die Aufmerksamkeit des Personalers auf sich zu ziehen. Die Strategie der *extended truth* ist sehr verbreitet und in vielen erfolgreichen Bewerbungen bemüht worden. Sie sollten allerdings unbedingt bedenken: Nichts ist peinlicher, als mit einer plumpen Lüge in den Unterlagen erwischt zu werden. Daher empfehlen wir einen mäßigen und kontrollierten Umgang mit übertreibenden Formulierungen und Halbwahrheiten.

Das soll Sie aber nicht davon abhalten, jede Anstellung oder Tätigkeit, und sei es auch nur ein Ferienjob, in Ihren Unterlagen ins beste Licht zu rücken. Welche Qualifikationen und Kenntnisse wurden dort erworben, die für einen späteren Arbeitgeber wichtig sein könnten?

Wichtig: Die ausgeschriebene oder angestrebte Stelle sollte immer auch aus der Perspektive des Arbeitgebers betrachtet werden. Diese Betrachtungsweise kann Ihnen auch helfen, bestimmte Erfahrungen aus dem *CV* herauszunehmen, um nicht überqualifiziert oder ziellos zu wirken.

Fazit: Um bei der Bewerbung Erfolg zu haben, muß man ein guter Verkäufer in eigener Sache sein. Aber Vorsicht: Speziell in Großbritannien ist überhebliches Auftreten eher kontraproduktiv, das Image vom »deutschen Wichtigtuer« sollten Sie hier besser nicht bestätigen.

Abschlüsse und Berufsbezeichnungen

Ein Kapitel für sich ist die Frage der Übersetzung von deutschen Abschlüssen ins Englische. Ein Problem deshalb, weil es im anglo-amerikanischen Raum ein ganz anderes Schul- und Ausbildungssystem gibt: Die Schulzeit beträgt in der Regel 12 Jahre bis zum höchsten Abschluß. Studiert wird meist 4 Jahre lang bis zum »Bachelor-degree«, für einen »Master-degree« muß man noch einmal ein bis zwei Jahre dranhängen. Und: Es gibt im gesamten anglo-amerikanischen Raum keine Ausbildungsform, die der deutschen Lehre oder hiesigen institutionalisierten Ausbildungen entspricht.

Schulabschlüsse

Der Haupt- und Realschulabschluß in Deutschland läßt sich mit dem **britischen/irischen GCSE** (General Certificate of Secondary Education) vergleichen, welches früher »O-level« hieß. Das deutsche Abitur kann man mit dem britischen/irischen »*A-level*« gleichsetzen. Bei den »A-Levels« handelt es sich jeweils um eine abschließende Prüfung in einem Wahlfach. In Großbritannien kann man frei wählen, wie viele Prüfungen man ablegen möchte. Üblich ist, zwei bis drei Abschlußprüfungen abzulegen, aber auch nur eine einzige Prüfung ist möglich. Auf das hiesige Ausbildungssystem angewandt hätte dann z.B. ein deutscher Abiturient vier »A-level«, da bei uns die normale Abiturprüfung aus vier Teilprüfungen besteht.

In den USA und Australien gibt es keine Entsprechung unseres Realschul- bzw. Hauptschulabschlusses. Man geht 6 Jahre auf die Elementary School, dann weitere 6 Jahre auf Junior und Senior Highschools. Das High School Diploma entspricht ungefähr dem Abitur, mit dem Unterschied, daß es nicht zum Besuch einer Universität berechtigt, dafür müssen zusätzliche Prüfungen abgelegt werden.

Die Benotung erfolgt nach einer Buchstabenskalierung, ungefähre Entsprechungen sind:

USA	**Großbritannien/Irland**	**Deutschland**
A (A+, A, A-)	A	1 (15, 14, 13 Punkte)
B (B+, B, B-)	B	2 (12, 11, 10 Punkte)
C (C+, C , C-)	C	3 (9, 8, 7 Punkte)
D (D+, D, D-)	D	4 (6, 5, 4 Punkte)
F (failed)	E	5 (3, 2, 1 Punkte)
F (failed)	N (not passed)	6 (0 Punkte)

Studienabschlüsse

Die Übertragung von hiesigen Ausbildungen und Abschlüssen ins Englische ist aufgrund des unterschiedlichen Ausbildungssystems schwierig. Hier muß man mit Fingerspitzengefühl vorgehen. Das gilt insbesondere bei Bewerbungen nach England, wo man sich mit vollmundigen Übertragungen deutscher Abschlüsse etwas zurückhalten sollte. Besser ist es in den meisten Fällen, den einzelnen Abschluß inhaltlich zu beschreiben. Vergessen Sie nicht, daß deutsche Bewerber und Kandidaten aus der englischsprachigen Welt meist ganz unterschiedliche Voraussetzungen mitbringen: Die Universitätsausbildung im deutschsprachigen Raum ist inhaltlich breiter angelegt. Zudem spielt der Fremdsprachenerwerb eine größere Rolle. Die Hochschulausbildung im anglo-amerikanischen Raum dagegen zielt mehr auf die berufliche Praxis. Außerdem sind die Absolventen deutlich jünger als bei uns. Es ist nichts Ungewöhnliches, das Studium im Alter von nur 21 oder 22 Jahren abzuschließen.

Zu den Abschlüssen: Diplom und Magister in Deutschland entsprechen prinzipiell dem *Master-degree* und das Vordiplom dem *Bachelor-degree*. Innerhalb des englischen Systems ist der Abschluß *Bachelor* höherwertig als der Abschluß *Diploma*. Die deutsche Hochschulausbildung hat keinen dem *Diploma* entsprechenden Abschluß.

Die gängigsten 4-Jahres-Abschlüsse im anglo-amerikanischen Raum sind:

BA	Bachelor of Arts
BArch	Bachelor of Architecture
BEd	Bachelor of Education
BEng	Bachelor of Engineering
BMedSci	Bachelor of Medical Science
BMus	Bachelor of Music
BSc	Bachelor of Science
BSc (Econ)	Bachelor of Science in Economics
LLB	Bachelor of Law

Die entsprechenden 5–6-Jahres-Abschlüsse sind:

MA	Master of Arts
MArch	Master of Architecture
MBA	Master of Business Administration
MEd	Master of Education
MEng	Master of Engineering
MMedSci	Master of Medical Science
MMus	Master of Music
MSc	Master of Science
MSc (Econ)	Master of Science in Economics
LLM	Master of Law

In den USA und Australien enthalten die Abschlüsse Abkürzungspunkte, z.B.: B.A., B.Sc., M.B.A. oder L.L.M. etc.

Die Benotung bei akademischen Abschlüssen geschieht ganz grob folgendermaßen:

USA	Großbritannien/Irland	Deutschland
A+	upper first class (1.1)	sehr gut+ (0,8)
A	first class (1.2)	sehr gut (1,0)
A-	lower first class (1.3)	Sehr gut– (1,5)
B+	upper second class (2.1)	gut+ (1,8)
B	second class (2.2)	gut (2,0)
B-	lower second class (2.3)	gut- (2,5)
C+	upper third class (3.1)	befriedigend+ (2,8)
C	third class (3.2)	befriedigend (3,0)
C-	lower third class (3.3)	befriedigend- (3,5)
D	passed without honours	ausreichend

☺ Die Amerikaner haben eine andere Mentalität, wenn es um Noten geht: Im Resume gibt man nur »A«-Noten aus dem Hochschulzeugnis an. Selten werden auch »B's« erwähnt. Schlechtere Noten werden nicht genannt.

Lehre und Ausbildung

Wie schon erwähnt, ist die Ausbildung im anglo-amerikanischen Raum nicht mit der deutschen zu vergleichen. Fachliches Können wird in der täglichen Praxis vermittelt, teilweise ohne Prüfungen und Benotungen. Eine Änderung gab es in Großbritannien, dort wurden jetzt NVQs (*National Vocational Qualifications*) als berufsschulähnliche Prüfungen eingeführt. Bewerber mit abgeschlossener Lehre (*apprenticeship*) oder Ausbildung (*training*) sollten deshalb den Ausbildungsverlauf und die Inhalte im einzelnen darstellen.

Es ist schwierig, adäquate Berufsbezeichnungen für bestimmte Ausbildungsberufe zu finden. Wichtig bei der Übersetzung von Berufsbezeichnungen ist, daß der Bewerber nicht zu hoch und auch nicht zu tief stapelt, denn in beiden Fällen sinken die Chancen auf einen guten Arbeitsplatz. Ein schönes Beispiel sind die Berufsbezeichnungen Industrie-, Büro- und Einzelhandelskaufmann, die oft mißverständlich mit *Office-, Retail-, Industrial Clerk* übersetzt werden. Dabei ist im Englischen ein *clerk* in der Regel jemand, der Buchungssätze eingibt oder für generelle

Büroarbeit (z.B. Ablage) zuständig ist. Ebenso mißverständlich wäre eine Übersetzung als *Office-, Retail-* oder *Industrial Manager*, denn diese Positionsbeschreibung steht für mehr Kompetenzen, als tatsächlich ausgeübt werden, es sei denn, man ist Fillialleiter oder hat zumindest einen eigenverantwortlichen Entscheidungsbereich mit Weisungsbefugnis. Eine passendere Übersetzung wäre z.B. *Merchandising-, Purchasing-* oder *Retail Executive*, wobei es bei der Wahl der Bezeichnung auf den jeweiligen Aufgabenbereich ankommt. Die Position *Executive* beschreibt generell jemanden, der einen eigenen Verantwortungsbereich hat, aber weisungsgebunden unter einem Entscheidungsträger steht. Eine Ausnahme ist der *Chief Executive Officer (CEO)*, der Vorstand einer Kapitalgesellschaft. Im folgenden einige wenige charakteristische Beispiele für englische Berufsbezeichnungen und deren Abkürzungen:

Führungspositionen:

Chairman	Vorsitzender (z.B. in einem Aufsichtsratsgremium)
Chief Executive	Vorstand meist im öffentlichen/sozialen Bereich
Chief Executive Officer (CEO)	Geschäftsvorstand einer »öffentlichen« Kapitalgesellschaft (ähnlich unserer Aktiengesellschaft
Managing Director (MD)	Geschäftsführer, sei es einer Personen- oder Kapitalgesellschaft

Zweite und dritte Führungsebene:

Head of Marketing	Leiter einer großen Marketingabteilung
Marketing Director	Leiter einer Marketingabteilung
Marketing Manager	Entscheidungsverantwortlicher im Bereich Marketing
Personnel Manager	Leiter einer Personalabteilung
Sales Manager	Leiter des Bereiches Verkauf

Weitere Entscheidungsträger:

Account Executive	Kundenberater mit weitem Aufgabenfeld, aber limitiertem Entscheidungsspielraum
Key Account Executive	Schlüssel-/Großkundenbetreuer, verantwortlich für seine Kunden

Marketing Executive	Teilverantwortlicher im Bereich Marketing
Sales Executive	Verkäufer mit eigener eingeschränkter Kompetenz

Angestellte ohne Entscheidungsgewalt:

Clerk	Angestellter mit einfachen Bürotätigkeiten
Telesales	Verkäufer im Direct Marketing (meist am Telefon)
Personal Assistant to the Managing Director (auch PA to MD)	Assistent der Geschäftsführung

Eine umfassende Darstellung englischer bzw. amerikanischer Berufsbezeichnugen bietet das folgende Nachschlagewerk: Konstroffer, Oluf F.: *American Job Titles – und was sie bedeuten. Handbuch für Stellensuchende, Personalfachleute und Führungskräfte* (Nest, 1998).

Das Anschreiben: *Covering Letter*

Zunächst einmal einen Tip für alle diejenigen, bei denen gesprochenes Englisch und Hörverständnis sehr gut sind, die aber Probleme mit dem Schreiben haben und denen es davor graust, einen zusammenhängenden Text in formvollendetem Englisch zu gestalten. Das Erstellen eines *Covering Letters* kann dann schnell zur Qual und einem großen Hindernis auf dem Weg ins englischsprachige Ausland werden.

Es gibt verschiedene Möglichkeiten, ein Anschreiben sehr kurz zu halten und trotzdem kompetent und motiviert zu wirken. Voraussetzung für solch ein kurzes Anschreiben ist der vorherige persönliche Kontakt mit dem richtigen Ansprechpartner bzw. Entscheidungsträger. Während eines telefonischen Sondierungsgesprächs, bei dem der Gesprächspartner sein (echtes!!) Interesse an der Bewerbung äußert, kann der Bewerber nebenbei fragen, ob es möglich ist, den *CV* kurz zu faxen oder als E-Mail zu schicken:

Beispiel: »Do you mind if I just fax (or mail) my CV without any further comments?«

Bei Interesse an der Person wird sich der Personalentscheider mit dieser Form der Bewerbung einverstanden erklären. Wichtig ist, neben allen Formalien, daß dann dem Ansprechpartner das Fax oder die E-Mail auch innerhalb weniger Stunden vorliegt. Schickt man seinen *CV* erst am nächsten Tag oder noch später, dann war der erste Kontakt umsonst. Der Adressat könnte das Gespräch bereits vergessen haben und muß sich erst mühsam erinnern. Solche Fax- oder E-Mail-Bewerbungen sind insbesondere bei privaten Arbeitsvermittlungsagenturen gängige Praxis. Als Fax-Anschreiben kann man hier einen sogenannten *Compliment Slip* verwenden. Ein *Compliment Slip* ist ca. 1/3 DIN A4 groß und mit eigenem Briefkopf (mit kompletter Anschrift inkl. Telefonnummer etc.) sowie der Zeile »With Compliments« versehen. Auf dem Slip wird deutlich der Name des Ansprechpartners vermerkt.

Beispiel: For Andrew Mullins oder
F.A.O. Andrew Mullins

Dazu eine Zeile, die etwa so lauten kann:

Beispiel: »Regarding our recent telephone conversation, I am sending you my application for the position of ...«

Auch eine standardisierte DIN-A4-Faxvorlage mit den entsprechenden Überschriften kann man verwenden:

To:	Andrew Mullins
Fax:	0044-171-1234567
From:	Klaus Mustermann
Tel:	0049-231 123456
Pages:	3 (inclusive of Cover Page)
Message:	In reference to our recent conversation please find attached my CV for the position of German Telesales Executive

☺ Wenn möglich lassen Sie sich den Namen Ihres Ansprechpartners immer buchstabieren. Englische Namen werden oft anders geschrieben, als sie sich anhören. Auf der nächsten Seite ein Beispiel für einen *Compliment Slip:*

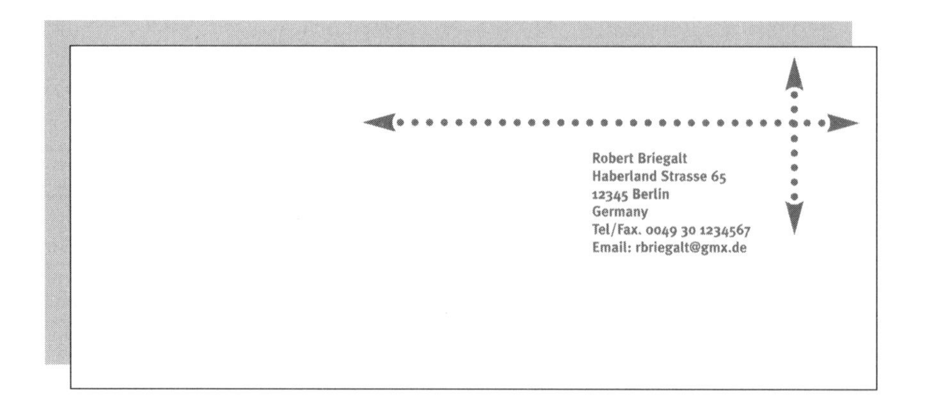

Beim Verschicken der Unterlagen per E-Mail (s.S. 136), kann man ebenfalls mit einem sehr kurzen Anschreiben auskommen. Hier wird die Eingabemaske im ASCII-Textformat (American Standard Code for Information Interchange) für ein kurzes Anschreiben benutzt und der *CV* als angehängte Datei (Attachment) mitgeschickt. Schlüsselqualifikationen können eventuell kurz mit Aufzählungszeichen dargestellt werden (s.S. 56). Wichtig: Vorher muß im Gespräch geklärt werden, mit welchem Textverarbeitungsprogramm das Attachment geöffnet werden kann. Parallel zur Versendung der Unterlagen per Fax oder E-Mail werden die Unterlagen mit der Post verschickt. Eine Bezugnahme auf die bereits gesendeten Unterlagen und auf den Gesprächspartner sollte eingefügt sein.

Der formale Aufbau des *Covering Letter*

Nach diesen allgemeineren Hinweisen möchten wir Ihnen zeigen, welche formalen Regeln beim Verfassen des *Covering Letter* zu beachten sind. Da man im englischsprachigen Raum nicht so viel Regelungsbedarf beim Schriftverkehr sieht, gestaltet sich das Layout etwas freier als bei uns, wo, wie könnte es anders sein, auch die Geschäftskorrespondenz einer einheitlichen Regelung unterliegt. Ganz wichtig ist allerdings, daß die Länge des Anschreibens eine Seite nicht überschreiten darf. Gehen wir im einzelnen von oben nach unten vor:

An erster Stelle sollte auf dem *Covering Letter* Ihre eigene, vollständige Adresse (mit Telefonnummer, Faxnummer, E-Mail, ggf. Handy-Nummer etc.) links oder aber auch rechts oben erscheinen. Dies erübrigt sich, wenn Sie unserem Vorschlag gefolgt sind und einen eigenen Briefkopf entworfen haben.

Übrigens: Für unsere Augen ungewohnt, aber im anglo-amerikanischen Raum durchaus üblich, muß Ihr Name in der Absenderzeile nicht unbedingt genannt werden, denn er soll in jedem Fall noch einmal ausgedruckt unter Ihrer Unterschrift auftauchen.

Die genaue Position des Datum ist nicht fest vorgeschrieben. Sie können das Datum nach Ihrer Anschrift einfügen, plazieren Sie es je nach Geschmack und Dokumentaufbau rechts- oder linksbündig. Die korrekte Schreibweise für Großbritannien ist Tag/Monat/Jahr, also z.B. **2 December 1999**, während in den USA die Regel Monat/Tag/Jahr gilt, also **December 2, 1999**, wobei das Jahr mit einem Komma abgetrennt wird. Man kann auch auf die etwas veraltete Schreibweise **2nd December 1999** bzw. **December 2nd, 1999** zurückgreifen. Der Ort der Absendung wird hierbei weder im angelsächsischen noch im amerikanischen Raum erwähnt.

Jetzt folgt der Name des konkreten Adressaten Ihrer Bewerbung und die Postadresse des Unternehmens.

Unter dem Block mit Adressen- und Datumsangaben folgt nun die Anrede des Briefpartners. Wir haben an anderer Stelle schon erwähnt, wie wichtig es ist, im englischsprachigen Raum einen konkreten Ansprechpartner beim Namen nennen zu können. Das klassische deutsche »Sehr geehrte Damen und Herren« in der übersetzten Ausformung »Dear Sir or Madam« oder »Dear Sirs« in einem *Covering Letter* zu bemühen, ist in der Regel unüblich, da ein Personaler im anglo-amerikanischen Raum bei dessen Gebrauch davon ausgeht, daß es sich um einen wenig motivierten Bewerber handeln muß, der sich noch nicht einmal die Mühe gemacht hat, den richtigen Ansprechpartner zu ermitteln. Ein weiterer Nachteil: Fehlt die richtige Kontaktperson, dann fühlt sich insbesondere bei Initiativbewerbungen auch niemand zuständig, und die Unterlagen landen meist im Müll (vgl. »Das Sondierungstelefonat«, S. 37).

Zur persönlichen Anrede: Die Pendants zu Herr, Frau und Fräulein sind Mister, Misstres und Miss. Im anglo-amerikanischen Raum werden bei der schriftlichen

Korrespondenz in der Anrede zumeist nur Abkürzungen verwendet: »Mr«, »Mrs« und »Miss« (nicht mehr zeitgemäß). Hier noch ein kleiner Trick: Ist man sich nicht sicher, ob die angesprochene weibliche Person verheiratet ist oder nicht, kann man dies unverfänglich und immer richtig mit »Ms« betiteln. Im britischen, asiatischen und australischen Raum werden die Abkürzungen »Mr«, »Mrs« und »Ms« ohne, in den USA mit Punkt geschrieben. Diese Feinheiten sind jedoch wenig relevant, so trifft man auch in Großbritannien auf die Variante mit einem Punkt nach den Abkürzungen: »Mr.«, »Mrs.« und »Ms.«. Nun können Sie, müssen aber nicht, ein Komma setzen und dann in jedem Fall den ersten Satz Ihres Textes mit einem Großbuchstaben beginnen.

Auch im anglo-amerikanischen Raum wird in der Regel eine Betreffzeile verwendet, sie ist allerdings kein »Muß«. Wie im Deutschen bezieht man sich bei der Betreffzeile auf die ausgeschriebene Stelle, auf ein Telefonat etc. Anders als bei deutschsprachigen Geschäftsbriefen wird der Betreff **nach der Anrede** plaziert, und durch Fettschreibung oder Unterstreichung hervorgehoben. Am Anfang dieser Zeile steht »**RE:**« (»with reference to«). Es ist auch möglich, den Grund des Schreibens in einem einleitenden Satz zu erwähnen, wie z.B.: »Referring to our recent telephone conversation I am sending you my application for the position ...«

Nun folgt Ihr frei formulierter und ausgeschriebener »Bewerbungstext«, mit dem Sie auf Ihre Person und Ihre Fähigkeiten aufmerksam machen wollen.

Schließlich müssen Sie sich nur noch verabschieden und sich den Schweiß von der Stirn trocknen. Sie haben Ihren Gegenüber wie verlangt mit dem Namen angesprochen – Sie verabschieden sich formvollendet mit »Yours sincerely« – ohne Komma, dann folgt Ihre Unterschrift und deren gedruckte Wiederholung. »Yours faithfully« heißt ebenfalls »Mit freundlichen Grüßen«, wird aber nur bei unbestimmten Anreden wie »Dear Sirs« verwendet. In den USA sind auch andere Verabschiedungen gebräuchlich, so schreibt man anstelle von »yours sincerely« auch einfach nur »sincerely« oder »sincerely yours«. Aber bitte schließen Sie den *Covering Letter* nicht mit »kind regards« ab. Diese Verabschiedung klingt zu salopp.

Jetzt sollten Sie noch schnell mit »Enc:« (»Enclosure«) erwähnen, daß eine – Ihr *CV* – oder auch einige »Encs:« (»Enclosures«), Anlagen, beigefügt sind. Die Dokumente werden nicht im einzelnen aufgeführt.

Geschafft, der *Covering Letter* ist fertig!!

Nach der vielen Theorie nun ein Beispiel für die obigen Ausführungen (weitere Beispiele siehe unten):

Peter von Amsel (*der eigene Name kann optional/z.B. aus Platzmangel auch weggelassen werden*)
Hamburger Str. 14
22656 Hamburg
Germany
Tel.: +49 40 23654
Fax: +49 40 23457
E-Mail: PvonAmsel@vossnet.de

Mr Nick Rodeby
Associate Director
The Lloyd Group
Alhambra House
27-31 Charing Cross Rd.
London WC2H 0AU

18 March 2000 (*das Datum kann auch weiter oben nach der eigenen Adresse plaziert werden*)

Dear Mr Rodeby…

RE: Advertisement in The Guardian – German Technical IT Support

IHR BEWERBUNGSTEXT (Tips s.u.)

Yours sincerely

Peter von Amsel
Peter von Amsel

Enc:

Inhaltliche Selbstdarstellung im *Covering Letter*

Im folgenden gehen wir auf den wichtigsten Aspekt des *Covering Letters*, die Selbstdarstellung, ein. Bei der Bewerbung auf ein Stellenangebot aus der Zeitung oder dem Internet geht man im *Covering Letter* ähnlich vor wie im deutschen Bewerbungsanschreiben. Nach einem einleitenden Satz geht es zunächst darum, mit wenigen Worten zu beschreiben, warum man für die ausgeschriebene Stelle geeignet ist und sich gerade für diese Stelle interessiert.

Am einfachsten ist es, auf das Qualifikationsprofil der Stellenanzeige im *Covering Letter* Punkt für Punkt einzugehen. Hier bietet sich z.B. eine stichpunktartige Aufzählung an. Verlangt das Unternehmen beispielsweise

»A graduate, you should have at least 1 years' solid marketing experience under your belt and awareness of the financial services industry. You are already a confident communicator who is creative, logical and practical. As well as being highly analytical and good with figures, you should have a good level of PC literacy«,

dann könnte man diese Anforderungen wie folgt »abarbeiten«:

- MBA (»Diplom in Betriebswirtschaftslehre«)
- two years experience as a marketing executive at the Deutsche Bank/Frankfurt
- responsible for a budget of 600.000 DM/year
- owner of a PC for the last six years

Denkbar ist aber auch jedes andere Vorgehen, solange es dem Verantwortlichen in kürzester Zeit klarmacht, daß alle geforderten Qualifikationen vorhanden sind, um die ausgeschriebene Position erfolgreich zu bekleiden. (Bitte auch »weiche« Faktoren wie Teamgeist, Kommunikationsfähigkeit etc. nicht vergessen.) Wiederum gilt: Je wichtiger Kreativität für die Anstellung ist, desto ausgefallener kann der *Covering Letter* gestaltet sein. Wie bereits dargestellt, sollte er zwar informativ, aber dennoch kurz und übersichtlich sein. Insbesondere bei Bewerbungen über eine Arbeitsvermittlung sollten die Schlüsselqualifikationen kurz und prägnant dargestellt werden, denn in der Regel hat der *Covering Letter* bei der Stellensuche über eine Agentur eine geringere Bedeutung als bei einer Bewerbung auf das direkte Stellenangebot eines Unternehmens.

Nach der Darstellung der eigenen Qualifikation können, am besten in knappen

Worten, die eigene Motivation und das Interesse an dieser speziellen Position dargelegt werden. Dabei sind im Vorfeld über das Unternehmen eingeholte Informationen hilfreich.

Beispiel: »The marketing strategy of Nationwide is known for its creative and innovative methods and I would like to contribute to the success of the marketing department of your building society. I was especially impressed with your recent marketing campaign and TV-adverts which did so well, helping you to increase your turnover by 30%. Let me introduce myself: For the last three years I have been working for Werbewirtschaft Deutschland, a well known advertising agency in Hamburg. As an account executive I was responsible for the campaign for the LBS (German building society), Hamburger Abendblatt (Famous German Newspaper), Sixt (Car rentals) and Mercedes ...«

Im folgenden finden Sie nun einige Formulierungen, die Ihnen beim Verfassen eigener Anschreiben hilfreich sein können.

Formulierungshilfen zum Erstellen eigener *Covering Letters*
Opening Phrases

I have read your advertisement in *The Guardian* and would like to apply for the position of International Sales Executive.	Ich habe Ihre Anzeige im *Guardian* gelesen und möchte mich hiermit für die Position als internationaler Verkäufer bewerben.
I am replying to your advertisement in the *Evening Standard* where you are looking for »Native German Speaking Marketing Expert«.	Ich beziehe mich auf Ihre Stellenanzeige im *Evening Standard*, in der Sie einen deutschen Marketing-Experten suchen.
Referring to our recent telephone conversation I would like to apply for a work placement (internship position) within your organisation.	Bezugnehmend auf unser kürzliches Telefonat, möchte ich mich bei Ihrer Organisation um ein Praktikumsplatz bewerben.
I have been following your company's progress over the last two years. I am currently looking for a new and challenging position as an interpreter (German-English) and I believe that the skills I have developed would significantly contribute to your company's success.	Ich habe in den letzten zwei Jahren die Entwicklung Ihres Unternehmens beobachtet. Zur Zeit befinde ich mich in einer Orientierungsphase und suche eine neue und herausfordernde Position als Übersetzer (Deutsch-Englisch). Ich glaube, daß meine Kenntnisse wesenlich zu Ihrem Unternehmenserfolg beitragen werden können.
I am writing to enquire, whether you might have a vacancy for an electronic engineer within your plant.	Ich wende mich an Sie, um zu erfragen, ob eine Stelle als Elektoingenieur in Ihrem Betrieb frei ist.
I saw a Market Research position advertised on your web-site and would like to submit my Resume for consideration.	Ich habe auf Ihrer Homepage eine freie Position im Bereich Market Research gesehen und schicke Ihnen hiermit meinen Lebenslauf zur Durchsicht.
Ms Miller from the World Soccer Team told me that you are looking for a new mid-field player. Let me introduce myself briefly: I have been playing mid-field at FC St. Pauli, a German soccer club for five years...	Frau Miller vom World Soccer Team hat mir erzählt, daß Sie einen neuen Mittelfeldspieler suchen. Lassen Sie mich kurz vorstellen: Ich spiele seit fünf Jahren im Mittelfeld bei FC St. Pauli, einem deutschen Fußballclub...
The article in *Marketing Week 10/99* about your firm was very impressive and I would be very interested in working for your company...	Der Artikel in der *Marketing Week 10/99* über Ihre Firma war sehr beeindruckend und hat in mir ein starkes Interesse geweckt, für Sie zu arbeiten...

As an international IT-consultant specialising in SAP R/3 HR and Basis I have worked in several countries already gaining valuable experience in various work situations. I wonder whether you have any suitable and challenging projects within your company.	Als international tätiger EDV-Berater, spezialisiert in SAP R/3 HR und Basis, konnte ich wertvolle Berufserfahrung in mehreren Ländern und Branchen sammeln. Ich wende mich an Sie, um zu erfragen, ob Sie möglicherweise passende und herausfordernde Projekte in Ihrem Unternehmen haben.
I am aware that you are always looking for skilled programmers and since I have several years experience in programming with C and C++ I believe I could be a valuable member of your team contributing to the success of your organisation.	Im Wissen, daß Sie permanent nach fähigen Programmierern suchen, und da ich über mehrere Jahre Erfahrung im Programmieren von C und C++ verfüge, bin ich überzeugt, daß ich als nützliches Mitglied in Ihrem Team einen Beitrag zum Erfolg Ihres Unternehmens leisten könnte.

Middle Phrases

During several internships I gained valuable experience in a number of fields such as • advertising • market research • marketing etc. I will be finishing my studies next month with a Master of Science and as my main interests are based in market research, I would like to apply for a position as executive assistant or similar within your firm.	Im Rahmen verschiedener Praktika konnte ich wertvolle Erfahrung in unterschiedlichen Bereichen sammeln wie z.B. • Werbung • Marktforschung • Marketing Da ich nächsten Monat mein Studium mit einem Master of Science beenden werde und mein Schwerpunktinteresse im Bereich Marktforschung liegt, möchte ich mich um eine Position als Assistent eines Entscheidungsträgers o.ä. in Ihrer Firma bewerben.
I studied Medicine in Germany and did my practical year in Saudi Arabia. I specialise in Radiology. Your hospital has a very good reputation in this field and since I would like to deepen my knowledge and skills I am enclosing my application for this position. You will see that I have already worked as a research assistant at the Max Planck Institute in Bonn and ...	Ich habe Medizin in Deutschland studiert und mein praktisches Jahr in Saudi Arabien absolviert. Mein Spezialgebiet ist die Radiologie. Ihr Krankenhaus hat auf diesem Gebiet einen exzellenten Ruf, und da es mein Interesse ist, meine Fähigkeiten zu vertiefen, möchte ich mich bei Ihnen bewerben. Wie aus meinem Lebenslauf hervorgeht, habe ich schon als Forschungsassistent im Max-Planck-Institut in Bonn gearbeitet und ...
At present I am employed in the personnel department of a large department store in Berlin/Germany. Here I am mainly responsible for the selection and training of	Zur Zeit arbeite ich in der Personalabteilung eines großen Kaufhauses in Berlin/Deutschland. Hier bin ich hauptsächlich für die Auswahl und

staff. I have developed a good knowledge and judgement of staff needs and capabilities. I helped to reduce turnover of staff by 15% and sick-leave by 20%. I am a highly motivated individual, able to work to tight deadlines and cope well with stress. Since keeping good staff is a key factor for success I am sure that my skills could contribute significantly to your company's progress. I already speak and understand English at a very high level. As I am a fast and efficient learner I will overcome minor difficulties regarding the use of the English language very quickly.	Weiterbildung der Belegschaft verantwortlich. Ich konnte ein spezielles Gespür für die Bedürfnisse und Fähigkeiten der Mitarbeiter entwickeln. Ich half, die Fluktuation der Belegschaft um 15% und die Krankenausfälle um 20% zu reduzieren, bin ein hochmotiviertes Individuum und gewohnt, mit engen Terminen unter Streß zu arbeiten. Da eine gute Belegschaft ein elementarer Faktor für den Unternehmenserfolg ist, bin ich mir sicher, daß meine Fähigkeiten deutlich zum Fortschritt Ihrer Firma beitragen können. Ich spreche und verstehe Englisch auf einem sehr hohen Niveau. Als schneller Lerner werde ich kleine Sprachnachteile rasch ausgleichen können.
I recently finished a three-year training course to become a professional plumber. Training was monitored and final exams were set by the German Chamber of Industry + Commerce. I passed the final exams with an «A« and I am familiar with all kinds of problems occurring in this business. Besides a large amount of theoretical knowledge I have been working in the business for the whole three years, sometimes supervised but most of the time solely responsible for my work. I would be happy to present some of the skills I gained. Please find my Resume attached for your consideration...	Kürzlich habe ich meine dreijährige Lehre zum Klempner erfolgreich beendet. Dies ist eine Standard-Ausbildung in Deutschland. Ich habe die Abschlußprüfung mit «Sehr gut« bestanden und bin vertraut mit allen in der Branche auftauchenden Problemen. Neben einem umfangreichen theoretischen Wissen habe ich den letzten drei Jahren als Klempner gearbeitet. Manchmal unter Beaufsichtigung, aber am Ende eigenverantwortlich. Ich würde mich freuen, Ihnen meine Fähigkeiten präsentieren zu können. Beiliegend finden Sie meinen Lebenslauf zur Durchsicht.

Closing Phrases

I would be very happy to put my skills and knowledge to good use in your organisation and increase your sales and turnover significantly. I am looking forward to discussing possible engagements with you personally.	Gerne würde ich meine Fähigkeiten und Wissen in Ihr Unternehmen einfließen lassen, um damit Ihren Verkauf und Umsatz deutlich zu steigern. Ich freue mich darauf, mögliche Übereinkommen mit Ihnen persönlich zu besprechen.
As I am in London next week I will contact you on Friday morning to arrange a meeting if possible. Please call or e-mail me if you have any questions.	Da ich nächste Woche in London sein werde, rufe ich Sie Freitag morgen an, um, falls möglich, einen persönlichen Termin mit Ihnen zu vereinbaren. Bitte kontaktieren Sie mich

I am looking forward to speaking to you soon.	telefonisch oder per E-Mail, falls Fragen gleich welcher Art auftauchen. Ich freue mich auf ein Gespräch mit Ihnen.
I am confident that my knowledge and abilities would be of great value to your organisation. I would like to request a few minutes of your time to discuss my qualifications. I will contact you on Wednesday to arrange a meeting. If you have any questions in the meantime please do not hesitate to call.	Ich bin sicher, daß mein Wissen und meine Fähigkeiten für Ihr Unternehmen von großem Nutzen sein können. Gerne würde ich einige Minuten Ihrer wertvollen Zeit in Anspruch nehmen, um über meine Qualifikationen zu sprechen. Zu diesem Zweck werde ich Sie am Mittwoch anrufen und einen Termin vereinbaren. Für zwischenzeitliche Fragen stehe ich jederzeit zur Verfügung.
I would be very happy to discuss further questions in a personal interview. Thank you very much for your interest and consideration. Yours sincerely Anja Schoenbach	Ich würde mich sehr freuen, weitere Fragen in einem persönlichen Gespräch zu klären. Vielen Dank für Ihr Interesse und die Berücksichtigung meiner Bewerbung. Mit freundlichen Grüßen Anja Schoenbach

Auf den nächsten Seiten finden Sie 11 *Covering Letters* für folgende Anlässe:

1. Praktikumsanfrage	BWL
2. Bewerbung auf Anzeige	Sekretariat
3. Initiativbewerbung	Bank
4. Blindbewerbung	IT/Arbeitsvermittlung
5. Initiativbewerbung	PR/Telekommunikation
6. Bewerbung auf Anzeige	Film/Fernsehen
7. Initiativbewerbung	Presse/Verwaltung/Arbeitsvermittlung
8. Praktikumsanfrage	Webdesign
9. Blindbewerbung	Freie Mitarbeit/Photojournalismus
10. Initiativbewerbung	Ingenieurswesen/Elektrotechnik
11. Bewerbung auf Anzeige	Sales/Support

①

Christoph Osthaus
34 Albion Road
London N16 7AF
Tel.: 0171 2345678
Fax: 0171 3456789
Email: Costhaus@hotmail.com

10 August 1999

Ms G Vernon
Personnel Officer
Hornitz Consulting
19-23 Waverly Road
Edinburgh EH2 4RJ

Dear Ms Vernon

Further to our telephone conversation, I would like to apply for a work placement position with Hornitz Consulting. At present I am studying Business Administration at Hamburg University and I expect to graduate in 2001 with an M.B.A.

Please find a brief outline of my skills below:

- IT knowledge in MS-Office, FirstPoint Database, MS-NT Network and SAP R/3 HR
- Work experience in the Marketing Department at German Automobiles and the Personnel Department at XYZ Airlines
- Fluent oral and written English, good knowledge of French and Spanish
- Excellent communication and customer care skills gained as a regular volunteer in the fundraising department of the German Red Cross

I will call you next week to see if you require any further details from me and look forward to speaking to you at that time.

Your sincerely

Christoph Osthaus

Christoph Osthaus

Enc.

②

Regina Moekmann • George Strasse 12 • 81123 Munich • Germany • 0049 89 12345

20 June 1999

The Personnel Manager
BIG Interbrand Electrical Company
3 Upper James Street
Brighton BN1 3HR

Dear Sir/Madam

Re: Brighton Gazette BG/1/0699

I am writing in response to your advertisement for a secretary in your marketing department and have enclosed my C.V. for your review. I am confident that my secretarial and administrative skills would be an asset to your organisation.

In my current position as administrator for an international marketing services company in Munich, my main duties are preparing correspondence, reports and presentations and organising meetings, seminars and travel. I also supervise the acquisition and updating of mailing lists and monitor both German and English marketing and advertising publications for relevant press cuttings.

I have acquired excellent organisational and communication skills and am very effective in keeping the department organised. I am used to juggling several projects at one time and keeping a calm disposition in a hectic workplace with constant deadlines. I feel my experience would suit the requirements of your organisation and I would be delighted to discuss potential employment with you.

I look forward to hearing from you soon.

Yours faithfully

Regina Moekmann

Regina Moekmann

Enc

③

Fabian Mercule
Herongasse 2
44357 Dortmund
Germany
Tel. 0049 231 123456

Mr Y Sanyee
Lloyds Bank
High Street
Worthing

7th November 1999

Dear Mr Sanyee

I read with interest today an article in 'Banking News' regarding the expansion of the Worthing Branch of Lloyds. I have been working for a local branch of Gemeinschaftsbank, a leading High Street Bank in Germany for the last six years, and you may be interested in the skills I have to offer.

During the last four years I have been supervising 15 full time staff and up to 20 temporary staff in most aspects of banking operations. Both this year and last year my team received the Gemeinschaftsbank Annual Award 'Customer support team of the year' in a nationwide competition held by Gemeinschaftsbank.

To increase efficiency in service I introduced staff training programmes two years ago which became so successful that they are now standard practice throughout the organisation. You will find further details of the programme in my enclosed curriculum vitae.

I would welcome a chance to meet and discuss any opportunities you may have. I shall telephone you at the end of the week to ask whether there are any possible openings within the Worthing branch of Lloyds Bank.

Yours sincerely

Fabian Mercule

Fabian Mercule

Enc.

④

Magdalena Doricht
14a The Broadway
London N8 7JK
Tel.: 0171/2457681
Fax: 0171/9876543
Email: mdoricht@yahoo.com

Mr D. Watson
Jobfinder IT Recruitment
16 Oxford Street
London WC1 3JN
Tel.: 0171 2457681
Fax: 0171 9876543

2 March 1999

Dear Mr Watson

I am writing to ask whether you have any vacancies for a Software Engineer. I am a graduate with 4 years experience with a leading German IT Development Consultancy. You will see from my enclosed C.V. that my principle strengths are in the following areas:

• Design of LAN and WAN networks
• Database development with SQL
• Software Engineering
• Project Management

If you have any further questions about my employment history or experience please do not hesitate to contact me at the above address, by email or telephone. I will telephone you early next week to see whether we can have an informal discussion about any suitable vacancies your clients may have.

Yours sincerely

Magdalena Doricht

Magdalena Doricht

Enc.

⑤

Katja Suhrkamp

Hauser Strasse 47 • 81123 Munich • Germany • +49 80 12345

June 7, 1999

Ms. Lisa Aberman
Public Relations Director
European Sales Division
QD Telecommunications Company
67 Gordonstown Road
Colorado Springs
Colorado 12345

Dear Ms. Aberman

As you suggested in your recent phone call, I am enclosing my resume for your consideration. I would like to draw your attention to the skills and achievements that are most relevant to the position advertised.

For the last three years I have been a successful Public Relations Executive for N-Tel Mobile Telecommunications, Europe's largest mobile phone manufacturer, working with international media in print, television and film. I have successfully dealt with recent adverse publicity concerning mobile phones by negotiating the placement of relevant research studies showing no harmful effects in one of Germany's most popular consumer programmes. One of my main achievements was the product placement of one of N-Tels mobile phones in the recent Hollywood Blockbuster 'The Spy and the Angel' starring Richard Angelo, where the main character constantly uses the product. I was able to generate a lot of free press coverage and sales of the featured model rose by 30% in the subsequent 3 months.

I am highly motivated and am confident that I can represent QD Telecommunications in a highly effective and profitable manner in the press and other media.

I look forward to hearing from you again soon so that we may discuss my application in greater detail. In the meantime, thank you for your time and attention.

Sincerely

Katja Suhrkamp

Katja Suhrkamp

Enclosure

⑥

Siegländerstr. 40
12345 Berlin
Germany
0049-30-123 4567

Miss Helena Rambert
Director of Human Resources and Administration
MTV Europe
Hawley Crescent
London NW1 0TT

7th April 1999

Dear Miss Rambert

I am writing in reference to your recent advertisement in the Guardian Appointments Section and would like to apply for the vacancy of Production Assistant in the MTV Production Department.

At present I am working for a video production company called Future Images, based in Berlin. I was originally hired in January 1998 to assist in the production of a German promotional video for 'Mosaic' Kitchenware. Since then I have worked for Future Images on many temporary assignments, assisting in various areas of production such as preparing shot lists, arranging catering on location, booking studios and crews, liaising with actors' agents, researching material and finding props. I have also received training in Off-Line editing. As I am employed on a freelance basis I am paid at the rate of £x per hour. Due to staff cut-backs in the near future I am now looking for other full-time employment in a related area.

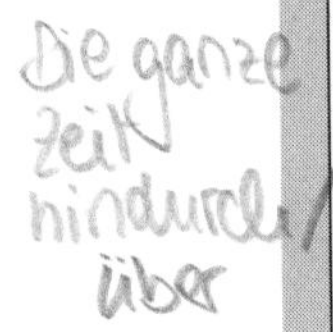

Throughout my past employment I have developed good communication skills and am able to work efficiently both on my own or as part of a team. I have excellent written and spoken command of the English Language, fluent German and also a working knowledge of French. I have good WP skills and have experience of Microsoft Word, Excel and Lotus.

I would welcome the opportunity to discuss my C.V. with you and I look forward to hearing from you soon. I will be available for interviews from the 20th of April onwards.

Yours sincerely

Sabine Radnitzer

Sabine Radnitzer

Enc.

⑦

Claudia Larus
Hafenstrasse 17
21000 Hamburg, Germany
Daytime Tel: 0049 40 123456
Evening Tel: 0049 40 567890

Ms Helena McDougal
Recruitment Consultant
Legrand & Co Search and Selection
15 Berkeley Square
London W1B 8XL

18 March 1999

Dear Ms McDougal

It was good to speak to you this afternoon about the position of Personal Assistant to the Editor of the 'Daily News'. I am pleased to enclose a revised CV to update my skills and experience. Having worked as Administrator for the German publication 'Schneiderlein', a bi-weekly trade magazine for the clothing and fashion industry, I am looking to work in a similar position in London.

I am a lively and accurate organiser with a good sense of humour. As an administrator in a fast-moving environment my duties include compiling, editing and inputting the events column of the magazine, composing responses to readers' letters and enquiries, budget control and ensuring invoices are paid on time. I also deal with the printers of the magazine and have recently negotiated a new printing arrangement with a new supplier saving the company approximately £1,500 a month.

I look forward to hearing from you soon.

Yours sincerely

Claudia Larus

Claudia Larus

Marco Bosnig-Scholz

Heideroad 14
83345 Munich
Germany
+49 89 12345
Marco@aol.com

March 7, 1999

Mr. Errol Jackson
Website Production Manager
Multi-Media Corporation
16 Silicon Drive
Los Angeles
California 12345

Dear Mr. Jackson

Re: Internship position as website designer

Could your company make use of a highly creative and technically accomplished website designer? I hold a B.A. in Graphic Design (Major: Multimedia and Website Design) from Munich University, Germany and will be starting my M.A. in Multimedia Art at New York University in January next year. I hold the work of your company in high esteem and would like to ask about the possibility of a six month internship.

From my enclosed resume you will see that I have a solid technical foundation in all major website and multimedia applications used both on PC and Apple Macintosh platforms. I am also familiar with programming in HTML, Java and Lingo. As well as having good technical knowledge, I have excellent creative abilities and experience of working within a multi-skilled team. You can find samples of my work and links to my projects at my website **http://www.marcobosnig.de**

Your company produces cutting-edge website design and you will find I can contribute positively to this work. I am flexible, eager to develop my skills and willing to work long hours when a project demands it. If an opportunity exists within your organization I would be able to start an internship position at any time and could stay until the end of this year. I will contact you by telephone next week to ask if you need any further details from me.

Thank you for your consideration.

Sincerely

Marco Bosnig-Scholz

Marco Bosnig-Scholz

Enclosure

⑨

Gotthart Lohmann
Bebinger Weg 23
22765 Hamburg
Tel: 0049 40 123456
Mobile: 0049 171 123456

Barbara Miller-Parah
Head of Publications
Rankworld Publishing
Jackworth Road
Guildford
Surrey GU9 6YU
England

29th February 1999

Dear Ms Miller-Parah

I am writing regarding the possibility of freelance work with Rankworld Publishing.

At present I am chief photographer at *Olderburger Evening News*, but I am very keen to work for a British Publication as I will be moving to Guildford in two weeks time. I was very impressed by some of the photo-journalistic work I have seen in Rankworld Publications and I believe my photographic style would be of interest to you.

I have enclosed a selection of my work, but I would appreciate the opportunity to visit and show you my full portfolio. You will see from my CV that I have experience of international freelance and agency work. Whilst living in France I also worked on commissions for the French magazine *Travail* and the Paris newspaper *Le Jour*. I am hard-working, dedicated and enthusiastic and know I would be an asset to Rankworld Publishing. I will contact you when I have moved to Guildford and hope that I will be able to arrange a meeting with you.

Yours sincerely

Gotthart Lohmann

Gotthart Lohmann

Enc.

Heinz Gorzing
Kamener Weg 15
44357 Dortmund
Germany
+49 231 123456
Email: Gorz@gmx.de

Mr James Ridsdale
Personnel and Training Manager
Australia Mining Corporation
Arcardia Road
Melbourne
Australia

16 January 1999

Dear Mr Ridsdale

Last Monday I spoke to Mrs Jacobs, Property Development Manager in your Engineering Department and she suggested I contact you. I am in my final year studying Electrical Engineering at Dortmund University and will graduate in May with an M.Sc. in Engineering. After this I am keen to gain work experience in an English-speaking environment and I believe my skills could be very useful to your organisation.

During my studies I worked for six months for the Essen Mining Corporation where I was involved in the testing of the new XXX machinery. I have read in *Mining News* that your organisation has purchased XXX machinery for a trial in three of your mines in Australia. I can offer your organisation my knowledge of these processes.

You will also see from my enclosed Curriculum Vitae that I have covered many other areas of engineering in my studies and you will be employing a motivated and enthusiastic individual.

I would very much like to discuss my proposal with you and I will contact you by telephone next week. Thank you for your consideration.

Yours sincerely

Heinz Gorzing

Heinz Gorzing

Enc

⑪

Robert Briegalt
Haberland Strasse 65
12345 Berlin
Germany
Tel/Fax. +49 30 1234567
Email: rbriegalt@gmx.de

Mr A J Gando
Sales Manager
Mikado Publishing International
International House
15 Finsbury Square
London EC1 7UV

14 June 1999

Dear Mr Gando

Re: Your advertisement in the Evening Standard, 12 June 1999/London is calling!

Your advertisement caught my attention immediately and it offers exactly what I'm looking for. A new challenge in a pressurised environment, support for my skills and future potential for growth.

My past employment has always been in a customer-orientated role in up-market hotels. I am used to communicating with customers, and have had training in Telesales. For the last four months I have been approaching new customers and have achieved conference bookings from 15 new business clients. I'm very interested in IT and spend a lot of my leisure time enhancing my IT knowledge. I work with Windows 95, Word, Excel, I am constructing my own homepage and frequently use the internet.

I would be happy to attend any further training you may require for the advertised position. You would be gaining an extremely capable and motivated member of your sales team who is willing to work hard to succeed. Enclosed is my Curriculum Vitae which I would like to supplement in a personal meeting with you at a mutually convenient time.

Yours sincerely

Robert Briegalt

Der Lebenslauf: *Curriculum Vitae (CV)* oder *Resume*

Der *CV* oder *Resume* ist Ihre wichtigste Bewerbungsunterlage, und für alle, die es immer noch nicht wahrhaben wollen: Es handelt sich hierbei um eine reine Verkaufsunterlage. Sie sollten sich deshalb beim Verfassen die allergrößte Mühe geben. Es gibt eine amerikanische soziologische Studie, die belegt, daß ein Personalentscheider in der Regel binnen weniger als 1/2 Minute entscheidet, ob Interesse an einem Kandidaten angebracht erscheint und seine Unterlagen eingehender geprüft werden oder aber ob das Papier wieder dem Rohstoffkreislauf zugeführt wird. Die bekannte, aus Verkauf und Werbung stammende AIDA-Formel verdeutlicht, worum es geht:

A = Attention (durch interessante und auffällige Unterlagen).
I = Interest (Interesse an Ihrer Person).
D = Desire (der Griff zum Hörer).
A = Action (das Vorstellungsgespräch/die Einstellung).

Bei der ersten Durchsicht der Unterlagen geht es darum, daß die Aufmerksamkeit des Lesers geweckt wird. Der entscheidende Faktor neben den fachlichen Qualifikationen (die aber in der Regel erst beim zweiten Durchschauen so richtig zum Tragen kommen), ist ein gelungenes optisches Layout. Ein *CV* sollte deshalb immer am Computer und in tabellarischer Kurzform erstellt werden. Und bitte vergessen Sie die Mär vom maximal einseitigen *CV/Resume*! Bezüglich der Länge eines englischen Lebenslaufes gibt es keine Regel, jeder sollte sich den Raum nehmen, den er braucht. Auch ein über die üblichen ein bis zwei Seiten Länge hinausgehender *CV*, der inhaltlich und gestalterisch überzeugt, kann den Weg zum Traumjob ebnen. Bei einem mehrseitigen *CV* müssen die für die Besetzung der jeweiligen Stelle möglicherweise entscheidenden Kriterien an den Anfang gestellt und mit entsprechender Deutlichkeit präsentiert werden.

Nur so wird das Interesse geweckt, und der Personaler liest im zweiten Durchlauf auch die restlichen Seiten mit den detaillierten Informationen zu einzelnen Fähigkeiten und Qualifikationen. Muß nur drei bis vier Sekunden lang nach Schlüsselqualifikationen gesucht werden, kann das schon das Aus für Ihre Unterlagen bedeuten.

Nehmen wir das Beispiel eines Bewerbers im IT-Bereich: Hier bietet es sich an, am Anfang des Lebenslaufes unter einer Rubrik wie »Summary of IT-Skills« die fachspezifischen Qualifikationen stichpunktartig aufzuzählen, also in diesem Fall etwa Programmiersprachen und spezielle Hard- und Software-Kenntnisse. Auf den folgenden Seiten kann dann erklärt werden, wo diese Kenntnisse erworben und bereits erfolgreich eingesetzt wurden. Entscheidend ist, daß der Lebenslauf inhaltlich nicht auseinanderfällt, sondern alle Informationen einen Bezug zur angestrebten Stelle haben. Nur so entsteht das Bild eines konsequenten und zielstrebigen Bewerbers.

Generell gilt: Mit der ersten Seite des Lebenslaufes weckt man die Aufmerksamkeit des Personalers und landet auf dem zweiten Stapel zur weiteren Durchsicht. Zur Verdeutlichung möchten wir Sie weiter unten bei den Beispiel-Lebensläufen auf den IT-*CV* von Thomas Altmann hinweisen.

☺ Bei einem längeren *CV* ist die Numerierung der Seiten unerläßlich, denn die Blätter werden nicht geheftet und können schnell durcheinandergeraten. Professionell wirkt es, wenn neben der Seitenzahl auch auf jeder Seite des Lebenslaufes der Name des Bewerbers in der Kopf- oder Fußzeile auftaucht. So kann auch im größten Chaos nichts verlorengehen, und der Personaler ist weniger gestreßt.

In den USA (und nur dort) hat es sich durchgesetzt, eine Bewerbungsmappe zu erstellen – allerdings anders, als wir sie kennen: Es wird ein hochwertiger, eventuell marmorierter oder dezent gefärbter DIN-A3-Bogen (zur in den USA üblichen Papierwahl s.o. S. 43) in der Mitte gefaltet. So entsteht eine DIN-A4-Mappe mit vier Seiten. Die erste Seite dient als Deckblatt mit der eigenen Anschrift und der angestrebten Position. Seite zwei, drei und vier sind für das *Resume* vorgesehen. Die vierte Seite kann aber auch für Referenzen genutzt werden, oder sie bleibt einfach frei. Zusätzlich muß noch der *Cover Letter* erstellt werden. Die Gestaltung einer Mappe lohnt sich nur für ein mindestens zweiseitiges *Resume* und ist sehr aufwendig. Hier ist keine Seitennumerierung nötig.

Auf der folgenden Seite finden Sie hierzu ein Beispiel:

SILKE C. MEISSNER

123 RAMONA DRIVE • LOS ANGELES, CALIFORNIA 12345 • TELEPHONE: (123) 456-7890

Seite 4 Seite 1

Professional Objective

To obtain a position as a coordinator in Rehabilitation Services at Detroit Hospital.

Education

Kennedy University, Los Angeles, California **December 1995**
Master of Science in Speech-Language Pathology, GPA: 3.85/4.00
Thesis: Functional Categories in the Grammar of English and German Speaking Children with Specific Language Impairment: A Cross-Linguistic Study

Franklin University, Boston, Massachusetts **May 1993**
Bachelor of Science, GPA: 3.67/4.00
Magna Cum Lauda with Honors in Communication Sciences & Disorders
Thesis: The Phonology of Bilingual (German/English) Children: Preliminary Observations

Certifications and Licenses

CPR BLS Instructor **March 1997**
American Heart Association

Speech, Language and Hearing Clinician Teacher's License **December 1996**
California Professional Standards Board

Speech-Language Pathology License **December 1996**
California Speech-Language-Hearing Association

Certificate of Clinical Competence: Speech-Language Pathology **June 1996**
American Speech-Language-Hearing Association

Experience

Speech-Language Pathologist **September 1995 to Present**
West Hospital, Los Angeles, California
- Diagnose and treat adults with a variety of neurogenic disorders, head and neck cancer, tracheotomy and/or ventilator dependency
- Follow patients from intensive care through acute care to transitional/subacute care units
- Perform modified barium swallow studies and rigid videostroboscopy regularly
- Manage up to two caseloads by directing rehabilitation technicians, supplementals, and co-workers
- Orientate and supervise undergraduate, graduate and nursing students, residents, rehabilitation technicians and co-workers
- Participate in clinical rounds with care coordinators, physicians, physiatrists, nursing, social workers, and other therapists
- Member of quality improvement, tech pilot, and continued education committees
- Assisted with articles for hospital and community education during Better Speech and Hearing Month
- Received recognition for outstanding contribution to the staff patient education fair
- Developed and coordinated feeding group together with occupational therapy, nursing and dietary on the transitional care unit
- Trained co-worker in CPR

Seite 2

Speech-Language Pathology Trainee
Over 450 supervised clinical clock hours in speech-language pathology and audiology obtained in the following settings:

M.D. Steer Audiology and Speech Language Clinic **Fall 1993 to Spring 1995**
Kennedy University, Los Angeles, California
Maplewood Elementary School/Davis Junior High **March 1995 to May 1995**
Metropolitan School District West, Los Angeles, California
Speech and Audiology Department **May 1994 to July 1994**
Methodist Hospital, Los Angeles, California
Department of Speech and Language Diagnostic and Therapy **June 1993 to July 1993**
Knappschaftskrankenhaus, Cologne, Germany
Institute for Voice and Language Therapy **May 1992 to June 1992**
Kreiskrankenhaus Sauerland Nord, Bruchhausen, Germany

Experience gained:
- Diagnostic and therapeutic management of children and adults in group and individual sessions in the areas of phonology, language, fluency, myofunctional impairments, oral facial paresis, dysphagia, aphasia, dysarthria, cognitive impairments, laryngectomy, voice augmentative and alternative communications, and aural rehabilitation
- Experienced in preschool, kindergarten, elementary, and junior high school settings as well as out-patient, acute care, and geriatric extended care settings
- Particular opportunities included participation in interdisciplinary augmentative and alternative communication assessment, neonatal follow up, and craniofacial assessment teams

Other Experience (1990 to 1994)

Administrative Assistant - M.D. Steer Speech-Language Clinic, Volunteer Ambulance Aid - Franklin University Ambulance, tutor: Beginners German - Office of Student Service, Franklin University, Medical Record Clerk - Franklin University Health Center, Nursing Aid - Ev. Krankenhaus, Castrop-Rauxel, Germany

Publications

Meissner, S.C. and Garmond, L.B. (1997).
Grammatical Deficits in German and English: A Cross-Linguistic Study of Children with Specific Language Impairment.

Continuing/Professional Education

- Principles of Videostroboscopy **July 1997**
  ASHA Competency Series
- Functional Outcomes: Issues in SLP, PT and OT **June 1997**
  Northern Speech Services
- Oral Mechanism Examination **May 1997**
  ASHA Competency Series
- reading Videofluroscopic Studies & Planning Treatment **March 1997**
  ASHA Competency
- Assessment and Treatment of Adults Requiring Trachs & Vents **November 1996**
  National Rehabilitation Services Inc.
- Issues in the Diagnosis and Treatment of Dysphagia **January 1996**
  Rehabilitation Institute of Chicago

Professional Affiliations

American Speech-Language-Hearing Association

Seite 3

(Platz für *references*)

Noch einmal zurück zu unserer AIDA-Formel. Wie gewinnen Sie einen Personaler für sich, wenn Ihr *CV* auf dem Stapel »eventuell interessant« landet? Bei der wichtigen und intensiveren zweiten Durchsicht muß nun der zukünftige Arbeitgeber oder aber Personalberater durch eine gelungene Darstellung der bisherigen Leistungen und der erworbenen Fähigkeiten/Kenntnisse/Erfahrungen etc. überzeugt werden, daß eine Zusammenarbeit von Erfolg gekrönt sein wird. Hier kommt es stark auf Zusammenhänge und Inhalte der einzelnen Tätigkeiten an. Seien Sie bei der Selbstpräsentation möglichst kurz und präzise, aber trotzdem detailliert und informativ. Und berücksichtigen Sie dabei immer, daß der interessierte Arbeitgeber einen anderen Hintergrund hat und nur wenig oder gar nicht mit unserem Ausbildungssystem oder unserer Arbeitsweise vertraut ist. Nebensächlichkeiten und Belangloses gehören nicht in den *CV*, ebensowenig Angaben über Eltern, Religionszugehörigkeit oder Grundschulbesuch. In den USA werden Berufserfahrungen, die länger als 10 Jahre zurückliegen, nicht mehr im *Resume* angegeben, es sei denn, sie stehen direkt mit der angestrebten Position in Verbindung.

☺ In einer englischen Bewerbung werden keine Angaben zur Verfügbarkeit (*availability*) gemacht. Es wird davon ausgegangen, daß der Bewerber die gewünschte Stelle kurzfristig antreten kann, denn sonst hätte er sich gar nicht erst beworben. Interessiert sich ein Arbeitgeber oder ein Arbeitsvermittler für Sie, und Sie haben eine lange deutsche Kündigungsfrist zu beachten, dann stellen Sie die Lage klar, betonen aber gleichzeitig die sehr wahrscheinliche Chance einer gütlichen und schnellen Einigung mit dem derzeitigen Arbeitgeber über eine vorzeitige Entlassung aus dem Arbeitsverhältnis. In der Tat ist eine solche Einigung im Falle einer Kündigung Ihrerseits wahrscheinlich, da ein Arbeitgeber nur wenig Interesse daran hat, einen wenig motivierten Arbeitnehmer weiter zu beschäftigen. Und so zeigt auch die Praxis, daß kaum ein Arbeitgeber nach einem intensiven und gütlich geführten Gespräch dem ausscheidenden Angestellten Steine in den Weg gelegt hat, vorausgesetzt, laufende Projekte und Verpflichtungen werden abgeschlossen und alle Aufgaben ordentlich übergeben.

Wie schon ein oder auch mehrmals gesagt: Bewerben, vor allem in einer fremden Sprache, ist Schwerstarbeit. Um Fehler zu vermeiden, sollten Sie die Unterlagen regelmäßig Korrektur lesen lassen und sich auch um ein inhaltliches Feedback kümmern. Hierzu bilden Sie am besten eine eigene »Jury«, bestehend aus ein oder zwei englischsprechenden Personen aus Ihrem Bekanntenkreis, die Ihre Unterlagen objektiv und ehrlich bewerten. Gehen Sie zusammen die wichtigsten Punkte durch: die äußere Gestaltung, das Ziel der Bewerbung (*job target*, s.u.) und das Bild, das Sie von sich entwerfen.

Lassen Sie die Unterlagen aus der Perspektive eines unter Zeitdruck stehenden Personalers lesen. Wird das Bewerbungsziel innerhalb weniger Sekunden deutlich? Und welche Assoziationen läßt der Lebenslauf entstehen? Herrscht bei Ihnen der Zufall oder planen Sie konsequent und langfristig? Sind Sie offen für Neues oder vorsichtig abwartend? Das Bewerber-Image ist wichtig, weil es zu Rückschlüssen auf »weiche« Faktoren wie Teamfähigkeit einlädt. Solche Feinheiten können allerdings meist nur von Muttersprachlern erkannt werden. Das Urteil sollte dann hinterfragt und gegebenenfalls bei der Überarbeitung Ihrer Unterlagen berücksichtigt werden. Und nochmals: Es ist (fast) alles erlaubt, was förderlich ist, den ersehnten Job zu bekommen!

Im folgenden finden Sie die **formalen Standards**, die beim Verfassen eines erfolgreichen *CV* berücksichtigt werden müssen.

Oben auf einen englischen Lebenslauf gehört, ebenso wie beim *Covering Letter*, der Name des Bewerbers mit der kompletten Kontaktadresse. Meist wird die Adresse in der Mitte plaziert, man kann diese aber auch je nach Geschmack und Übersichtlichkeit links- oder rechtsbündig setzen. Im nordamerikanischen Raum ist es üblich, einen eigenen *Resume*-Kopf zu erstellen. Bei einer DIN-A3-Faltblattmappe steht die erste Seite für die eigene Adresse zur Verfügung.

Im angelsächsischen Raum überschreibt man sein Bewerbungsdokument mit »Curriculum Vitae«. Die Überschrift entfällt dagegen, wenn man sich mit einem amerikanischen *Resume* bewirbt.

☺ Die Kontaktadresse ist so zu schreiben, daß der Empfänger durch simples Abschreiben einen Antwortbrief schicken kann. Ähnliches gilt für die Angabe von Telefon- und Faxnummern: Hier ersetzt das international verbreitete Zeichen »+« die ersten zwei oder drei Zahlen der jeweiligen Landeskennzahl (z.B. in den USA wählt man »01149« für Deutschland, in Irland oder Großbritannien die »0049«). Die erste Null einer deutschen Städtevorwahl wird bei einem Gespräch aus dem Ausland nicht gewählt. Daraus ergibt sich die folgende Schreibweise für eine Rufnummer in Deutschland: +49/40/3990 3733. Gleiches gilt für die Faxnummer. Auch die E-Mail-Adresse sollte im Briefkopf angeben werden.

Beispiel: Helmut Meise
Lerchenstr. 21
D-42235 Bonn
Germany
Tel.: +49 228 1234556
Fax: +49 228 1234557
E-Mail: Helmut@droddel.de

Anders als der deutsche Lebenslauf wird für den anglo-amerikanischen *CV* ein umgekehrt-chronologischer Aufbau gewählt. Ganz vorne im *CV* stehen die zeitlich aktuellsten Erfahrungen, Qualifikationen und Abschlüsse. Danach kommen die etwas älteren und danach weitere, noch ältere Informationen. Folglich wird der Leser eines *CV* von der Gegenwart in die Vergangenheit des Bewerbers geführt. Diese Darstellungsweise gilt für sämtliche Angaben im *CV*. Dabei wird den jüngsten Erfahrungen die oberste Priorität eingeräumt, entsprechend sorgfältig und ausführlich sollen diese Erfahrungen, Qualifikationen und Abschlüsse dargestellt werden.

Bitte verzichten Sie auf das Anheften oder Beilegen eines Fotos oder die Unterschrift unter einen *CV*. Auch eine Datumsangabe wird nicht vorgenommen, weil der Empfänger im anglo-amerikanischen Raum selbstverständlich davon ausgeht, daß alle Angaben auf dem neuesten Stand sind. Schließlich werden *CV* und *Covering Letter* nicht in einem Hefter verschickt und es werden, wie schon erwähnt, keinerlei Zeugnisse beigelegt.

Zum Hintergrund der fehlenden Zeugnisse: Es ist im gesamten anglo-amerikanischen Raum nicht üblich, daß ein Unternehmen ausscheidenden Arbeitnehmern detaillierte Zeugnisse über deren Tätigkeit oder Verantwortlichkeit ausstellt. Dort gibt es ein System der Referenzen. Der Arbeitgeber in spe holt bei einem früheren Arbeitgeber, Ausbilder oder auch einem akademischen Ansprechpartner Auskünfte über die Person des Bewerbers ein. Die Auskünfte werden manchmal per Telefon, aber auch in schriftlicher Form mittels Fragebogen eingeholt. Vor allem bei Stellenbesetzungen, die im unteren und mittleren Bereich der Einkommensskala liegen, wird aus Zeitgründen auf letztere Variante zurückgegriffen. Bei Führungspositionen werden dagegen weiterführende Auskünfte benötigt. Eine Referenz wird nur nach einem erfolgreich verlaufenen *Interview* eingeholt, und zwar um letzte Bedenken zu zerstreuen und die Ehrlichkeit, Zuverlässigkeit, Einsatzbereitschaft etc. des Bewerbers noch einmal zu überprüfen. Es kann durchaus vorkommen, daß der Arbeitgeber auch zusätzlich enge Freunde kontaktieren will, um sich ein Bild von der Persönlichkeit des Bewerbers zu machen. Übrigens: Sämtliche Kontaktaufnahmen von seiten des Unternehmens oder aber auch einer Arbeitsvermittlungsagentur sollten mit dem Bewerber abgesprochen sein.

Man kann sich seine Referenzadressen, die an letzter Stelle im *CV* angegeben werden, frei wählen – von größtem Interesse sind von seiten des Unternehmens allerdings der aktuelle und die letzten Arbeitgeber. Das vage Versprechen »references available upon request« (oder in modernem Englisch: »on request«) sollte möglichst vermieden werden. Ideale Referenzen für die Bewerbung in den anglo-amerikanischen Raum sind selbstverständlich aus Gründen der optimalen Kommunikation Arbeitgeber aus ebendiesem Sprachraum, aber auch deutsche Arbeitgeber oder Leumund sollten an der entsprechenden Stelle im *CV* angegeben werden. Üblich ist es, drei Referenzen anzugeben (z.B. zwei aus der Arbeitswelt und eine aus der Universität/Ausbildung).

Zur Form: Es reichen knappe Angaben: Name, Unternehmensname, Position, Anschrift und Telefonnummer.

Der zukünftige Arbeitgeber oder auch die Vermittlungsagentur werden, um die Angaben des Bewerbers zu überprüfen, nur die im *CV* als Referenz angegebenen Adressen kontaktieren, keine anderen. Alle anderswo gesammelten Erfahrungen oder Qualifikationen bleiben ungeprüft, so daß dieses Referenz-System dazu einlädt, berufliche Stationen bei Arbeitgebern, die nicht als Referenz genannt sind, entsprechend positiver darzustellen und nicht selten auch im Sinne der Bewerbung zurechtzubiegen, z.B. in bezug auf Inhalte, Länge oder Verantwortlichkeit. Mit solchen Halbwahrheiten sollten Sie, wie bereits ausgeführt (*extended truth*, s.o.) sehr vorsichtig sein.

Der strukturelle Aufbau eines *Curriculum Vitae*

Der *Curriculum Vitae* ist, wie gesagt, eine Verkaufsbroschüre: Es ist alles erlaubt, was der Übersichtlichkeit und der Präsentation der eigenen »Ware« dient. Daher sind die folgenden Erläuterungen auch nur Anhaltspunkte und sollen Ihnen Anregungen geben für das Erstellen Ihres individuellen »Prospekts«.

Der Übersichtlichkeit halber kann und sollte man den *CV* in einzelne überschriebene Abschnitte gliedern. Dabei finden sich in den unterschiedlichsten *Curricula Vitae* immer wieder die folgenden elementaren Elemente:

- Persönliche Daten – *Personal details*, im Amerikanischen in den Briefkopf eingebaut
- Angestrebte Position – *Job Objective/Career Objective/Job Target*
- Berufliche Erfahrungen – *Work Experience* oder *Employment History*
- Berufliche Erfolge/Leistungen – *Achievements* oder *Accomplishments*
- Ausbildung, Studium, Weiterbildung etc. – *Education and Qualifications*
- Sonstige Kenntnisse und Fähigkeiten – *Skills* oder *Additional Skills*
- Persönliche Interessen, Hobbys – *Hobbies/Interests*
- Referenzen (anstelle unserer Zeugnisse, s.o.) – *References*

Diese Zusammenstellung ist exemplarisch. Die einzelnen Abschnitte können sich miteinander vermischen, oder auch andere, z.B. detailliertere Überschriften können Sinn machen. Aus *Work Experience* kann *Employment History, Marketing* oder *Research Experience* werden, und für *Achievements* kann auch *Accomplishments, Publications* oder *Certifications* stehen. Die meisten Bewerber werden mit dem Grobraster von *Personal Details, Work History, Education, Additional Skills* und *References* zurechtkommen. Im folgenden einige weiterführende Informationen zu den einzelnen Gliederungspunkten:

Unter *Personal Details* versteht man die Angabe der Adresse, Telefon- und Faxnummer etc. sowie des Alters. In den USA muß man das Alter nicht angeben. Hier werden die persönlichen Daten zumeist im selbstentworfenen Briefkopf aufgeführt.

Für einige Lebensläufe ist es förderlich, in einer Rubrik *Career Objective* die angestrebte Anstellung zu beschreiben, etwa wenn man Berufseinsteiger ist oder einen Berufswechsel anstrebt. Dies gilt vor allen Dingen dann, wenn sich Kandidaten bei privaten Arbeitsvermittlungsagenturen bewerben, wo sich täglich nicht selten Hunderte von Bewerbungen für verschiedene Aufgaben und Positionen ansammeln. Um hier eine schnelle Orientierung zu ermöglichen, sollte oben auf dem Lebenslauf unter einer Überschrift wie z.B. *Position searched, Job Target, Job Objective, Objective, Career Target, Career Objective* aufgeführt werden, welcher berufliche Pfad angestrebt wird.

Alternativ kann der gesamte Lebenslauf auch so aufgebaut werden, daß ein bestimmtes Karriereziel klar erkennbar ist. Nachdem die Agentur die Bewerbung erhalten hat, kann man sich dann noch einmal telefonisch bestätigen lassen, daß man auch wirklich in der richtigen Karriereschublade gelandet ist (s. S. 141, »Nachhaken und präsent bleiben«).

Wählt man den erstgenannten Weg der expliziten Formulierung des Berufsziels, sollte die Beschreibung möglichst allgemein gehalten werden, da sich sonst die Chancen auf eine Anstellung allzusehr verringern.

Beispiel: Career Objective: – a challenging position within Sales/Marketing
– as a computer programmer

Unter *Work/Professional/Employment Experience* versteht man Kenntnisse und Fähigkeiten, die man auf dem freien Arbeitsmarkt oder auch durch die Ausübung von Hobbys oder anderer Aktivitäten erworben hat. Im anglo-amerikanischen Raum zählen diese praktischen Erfahrungen insgesamt mehr als Ausbildung und Titel, deshalb ist dieser Abschnitt auch der wichtigste im Lebenslauf. Dem Verfasser eines erfolgreichen *CV* muß das Kunststück gelingen, dem Leser glaubhaft zu machen, daß er, ausgehend von den in verschiedenen Positionen gemachten Kenntnissen und Erfahrungen, auch zukünftige Aufgaben und Herausforderungen erfolgreich meistern wird.

Problematisch ist die Einordnung der in der deutschen Lehre oder Ausbildung erworbenen Qualifikation. Man könnte diese sowohl unter der Überschrift *Education* als auch unter *Work Experience* darstellen. Wichtig ist allein, daß die vorhandenen Kenntnisse dem Personaler deutlich gemacht werden. Welches die vorteilhafteste Darstellung der eigenen Kenntnisse ist, muß jeder Bewerber selbst entscheiden.

Je nachdem, welche Vorgehensweise für den konkreten *CV* am meisten Sinn macht, sollte die individuelle Reihenfolge der einzelnen Bausteine vorgenommen werden. Wer beispielsweise direkt nach Beendigung der Ausbildung oder des Studiums eine Position in seinem Fach anstrebt, wird wohl am besten mit *Education* oder auch *Work Experience* beginnen möchte man hingegen eventuell sein Hobby zum Beruf machen, sollte man eher mit Überschriften wie *Skills* oder *Achievements* beginnen und hier die Kenntnisse und Fähigkeiten auflisten, die man durch die Ausübung dieses Hobbys erworben hat. Selbstverständlich kann man im *CV* auch relevante Erfahrungen auflisten, die man außerhalb der engeren Berufswelt erworben hat. Diese können z.B. unter Überschriften wie *Volunteer Experience* oder *Other Experience* gefaßt werden.

Egal welchen Aufbau und welche Überschriften Sie wählen, vermeiden Sie Wiederholungen von ähnlichen Erfahrungen und Aufgaben unter verschiedenen Überschriften!

Ganz wichtig sind im anglo-amerikanischen Raum die *Achievements* oder *Accomplishments*: Darunter fallen Auszeichnungen und Belobigungen, erfolgreich abgeschlossene Verträge, Weiterbildungen, Kurse, Publikationen, Patente, Mitgliedschaften, kurzum alles, was auf das Engagement und die tiefergehende Motivation des Kandidaten in Hinblick auf die angestrebte Tätigkeit schließen läßt.

Weiterhin wichtig sind Sprachen (englische Muttersprachler sind in der Regel etwas fremdsprachenfauler) und natürlich IT-Kenntnisse, welche unter die Überschrift *Skills* oder *Additional Skills* fallen können. Nochmals zur Erinnerung: Man sollte sich in die Lage des Arbeitgebers versetzen und sich überlegen, welche Qualifikationen oder welche persönlichen Fähigkeiten von besonderer Bedeutung für die Ausübung der angestrebten Position sein könnten.

Unter die Überschrift *Education* gehören Schulbildung und gegebenenfalls Ausbildung bzw. Studium (zu den Abschlüssen vgl. oben, S. 45ff.).

Bei allen Angaben zu Tätigkeiten, Praktika, Anstellungen, Studium und Ausbildung muß der Zeitraum sowie der Name der Firma, Universität etc. angegeben werden. Das gleiche gilt für die Positionsbezeichnung. Gibt es hier Probleme mit der korrekten Übersetzung, dann sollte eine englische Entsprechung verwendet werden. Allerdings existiert hier das schon bekannte Problem: Die meisten bei uns üblichen Ausbildungen sind im anglo-amerikanischen Raum wegen des unterschiedlichen Ausbildungssystems unbekannt. Das gleiche gilt für Studienfächer und Abschlüsse. Die einzige Lösung ist hier eine genaue Beschreibung der Ausbildungs- und Studieninhalte.

Nach der Wahl der aussagekräftigsten Überschrift folgt eine kurze, aber präzise Beschreibung des Aufgaben- und Verantwortungsbereiches. Wie schon oben dargestellt, sollte man bei der Darstellung sehr gewissenhaft vorgehen. Konkrete Angaben sind hier sehr viel sinnvoller als vage Formulierungen, die es generell zu vermeiden gilt. Die weiter unten, auf S. 88 aufgeführten Aktionsverben werden Ihnen helfen, Ihre bisherigen Leistungen zu beschreiben. Hier noch einmal die erforderlichen Eckdaten zur Übersicht:

- Zeitraum der Beschäftigung (Ausbildung/Studium)
- Stellenbezeichnung
- Arbeitgeber
- Ort
- Verantwortungs-, Aufgabenbereich

Noch einmal (zur Wiederholung), was nicht in den *CV* gehört:

- Außer wenn es von Vorteil ist, sollten im *CV* keine Angaben gemacht werden zu: Gehaltsvorstellungen, Rasse, Religion, familiärer Situation (verheiratet, Kinder etc.), Kindheit und Grundschule, Gewicht, Körpergröße und Geburtsort. In den USA bleibt auch das Geburtsdatum bzw. das Alter im Lebenslauf unerwähnt.
- Abkürzungen und Umgangssprache
- Fotokopien, Photographien oder Gesundheitszeugnisse
- Handgeschriebenes, die Unterschrift des Bewerbers
- Rechtfertigungen, z.B. warum man sich im Ausland bewirbt, oder warum man nur kurze Zeit bei diesem oder jenem Unternehmen geblieben ist

Der Aufbau eines *CV* kann grundsätzlich auf zwei Arten erfolgen. Entweder chronologisch, beginnend mit der letzten Anstellung, oder aber geordnet nach Kenntnissen und Fähigkeiten. Manchmal kann auch eine Mischung der beiden Muster sinnvoll sein.

Chronologische Reihenfolge: *Chronological CV*

Ein rein chronologischer *CV* bietet sich für eine stetige und auf ein Ziel ausgerichtete Karriere an. Der Lebenslauf muß lückenlos sein, und es sollte ein »roter Karrierepfad« erkennbar sein. Dieses Vorgehen ist ideal für Kandidaten, die verschiedene Erfahrungen in einer Branche gesammelt haben und beständig bemüht sind, in diesem Bereich auf der Karriereleiter weiter nach oben zu klettern. Bausteine für diese Variante wären:

- Personal Details (Name, Adresse, Telefon, Fax, E-Mail)
- Eventuell: Career Objective
- Professional/Work Experience und Accomplishments

- Von – bis (heute) Jobbezeichnung – Arbeitgeber – Ort
  Beschreibung des essentiellen Verantwortungs- und Aufgabenbereichs, Auszeichnungen, Belobigungen, Erreichtes, Incentives (Leistungsprämien) etc.
  Weiterbildungen, Abendkurse etc.
  Die einzelnen Angaben müssen in direktem Zusammenhang mit der gewünschten Position stehen.
- Von – bis Jobbezeichnung – Arbeitgeber – Ort
  Kürzere Beschreibung von Aufgaben und Verantwortung
  Wichtigste Auszeichnungen, Belobigungen, Erreichtes, Weiterbildungen, Abendkurse etc., die wiederum mit der gewünschten Position in Zusammenhang stehen müssen.
- Von – bis Jobbezeichnung – Arbeitgeber – Ort
  Kurze Beschreibung von Verantwortung und Aufgaben, die mit der angestrebten Position in Zusammenhang stehen.
- Von – bis Jobbezeichnung – Arbeitgeber – Ort
  Sehr kurze Beschreibung von Verantwortung/Aufgaben, die für die angestrebte Position relevant sind.

- Education (Abschlüsse, Seminare, Trainings, Zertifikate etc.)
- Hobbies (Teamsportarten, Kultur, Gesundheit etc.)
- References (zwei bis drei Unternehmen/Universität, Referenzen mit Jobtitel, Adresse und Telefonnummer etc.)

Funktionelle Reihenfolge: *Functional CV*

Der *Functional CV* oder *Skills CV* ist nach den in Ausbildung oder Berufsleben erworbenen Fähigkeiten und Kenntnissen geordnet. Gliederungspunkte können Begriffe aus Arbeitsbereichen, Wissensgebieten oder von Produkten wie Software oder Designprogramme, aber auch andere plakative Überschriften sein. Ein ausschließlich nach Kenntnisgebieten geordneter *CV* eignet sich besonders für einen Lebenslauf, der große Lücken oder Sprünge aufweist. Aber auch bei Erfahrungen in ganz unterschiedlichen Arbeitsbereichen, für Berufswechsler oder für Bewerber mit nur sehr geringer praktischer Berufserfahrung ist er sinnvoll.

Bei der funktionellen Gliederung sind die einzelnen Fähigkeiten oft schwerer in einen sinnvollen Zusammenhang zu bringen als bei einem chronologischen Vorgehen. Damit der Leser sich innerhalb weniger Sekunden über das nächste beruflich angestrebte Ziel des Bewerbers im klaren ist, sollte man hier die Rubrik *Career Objective* oder *Job Target* am Anfang des *CV* einfügen. Bausteine für einen funktionellen *CV* wären:

- Personal Details (Name, Adresse, Telefon, Fax, E-Mail)
- Desired Job Title/Career Objective
- Professional Experiences und Accomplishments

1. Top Skill	(für das Berufsziel unabdingbar)
2. Top Skill	(für das Berufsziel ebenfalls unabdingbar)
3. Top Skill	(für das Berufsziel förderlich)
Another Skill	(für das Berufsziel förderlich)
Field/Area of Proficiency	(Spezial-, Fachgebiet, in dem man unter anderem die oben erwähnten Kenntnisse erworben hat)

- Fachliche Erfolge
  - Erfahrung im Umgang mit wichtigen Werkzeugen/Hilfsmitteln/Software/Prozessen/Konditionen
  - Liste von Kursen/Selbststudien etc. (fachliches Wissen)
- Work History (nur in Stichpunkten, Zeitraum, Jobbezeichnung, Arbeitgeber und Ort)
- Education (Abschlüsse, Seminare, Trainings, Zertifikate etc.)
- Hobbies (Teamsportarten, Kultur, Gesundheit etc.)
- References (zwei bis drei Referenzen mit Angabe von Unternehmen/Universität, Jobbezeichnung, Adresse und Telefonnummer)

»Gemischter« *CV*

Selbstverständlich können auch chronologische und funktionelle Gliederungspunkte kombiniert werden. Hier ist allerdings die Gefahr sehr groß, daß der *CV/Resume* unübersichtlich wird. Bitte achten Sie darauf, daß sich die einzelnen Fähigkeiten in den unterschiedlichen Rubriken nicht wiederholen. Beispiel für einen »gemischten« *CV*:

- Personal Details (Name, Adresse, Telefon, Fax, E-Mail)
- Desired Job Title/Career Objective
- Summary of Skills (Fähigkeiten technischer Art bezügl. Software, Prozesse u.v.m.)
- Experience and Accomplishments
  - Von – bis (heute) Jobbezeichnung – Arbeitgeber – Ort
    Top Skill (Erfahrungen und Kenntnisse):
    Schlüsselqualifikation oder Erfahrungen/Kenntnisse, die auf eine erfolgreiche Bewältigung auch zukünftiger Aufgaben schließen lassen (detaillierte Beschreibung).
    Second Skill:
    Für das angestrebte Berufsziel sehr förderliche Kenntnisse/Erfahrungen
  - Von – bis Jobbezeichnung – Arbeitgeber – Ort
    Top Skill:
    Weitere Kenntnisse oder Erfahrungen, die auf eine erfolgreiche Bewältigung auch zukünftiger Aufgaben schließen lassen (detaillierte Beschreibung).
    Another Skill:
    Für das angestrebte Berufsziel sehr förderliche Kenntnisse/Erfahrungen
  - Von – bis Jobbezeichnung – Arbeitgeber – Ort
    Very Important Skill:
    Weitere Kenntnisse oder Erfahrungen, die auf eine erfolgreiche Bewältigung auch zukünftiger Aufgaben schließen lassen (detaillierte Beschreibung).
    Another Skill:
    Für das angestrebte Berufsziel sehr förderliche Kenntnisse/Erfahrungen
- Education (Abschlüsse, Seminare, Trainings, Zertifikate etc.)
- Hobbies (Teamsportarten, Kultur, Gesundheit etc.)
- References (zwei bis drei Unternehmen/Universität Referenzen mit Jobtitel, Adresse und Telefonnummern)

Im folgenden finden Sie eine Auflistung von wichtigen Aktionsverben, mit denen man berufliche und andere relevante Tätigkeiten im englischsprachigen Lebenslauf beschreiben kann. Einige Beispiele zeigen Ihnen, wie man diese Verben einsetzen kann.

Aktionsverben für den Lebenslauf

to accelerate (beschleunigen, erhöhen, zunehmen)	I accelerated the growth of the companies net profit margin by 20%
to accomplish (schaffen, erreichen, vollenden)	I accomplished a deal of around 1 Bil. DM with Deutz Mannesmann
to achieve (erreichen, schaffen, leisten)	I frequently achieved the sales figures set by my department
to administer (verwalten, regeln, ausführen)	It was my task to administer the budgets for the IT department
to advise (beraten, empfehlen)	I was responsible for advising the CEO in all IT matters
to allocate (zuordnen/vergeben, verteilen, zuweisen)	I was responsible for allocating expenditure codes for all departments
to appoint (einstellen)	I was appointed as customer services assistant
to approve (billigen, gutheißen, annehmen)	The budget I had worked out was approved by the senior management team
to arrange (ordnen, regeln, vereinbaren)	As secretary my job was to arrange all meetings with other staff and external contacts
to assist (assistieren, helfen)	I assisted in all aspects of production
to calculate (kalkulieren, schätzen, berechnen)	I calculated the annual travel costs for members of the sales department
to delegate (delegieren, jemanden beauftragen etwas zu tun)	While my manager was on holiday she delegated all managerial responsibilities to me

to demonstrate (demonstrieren, beweisen, zeigen)	I frequently demonstrated new products in our department stores
to design (entwerfen)	I designed the materials for the company's new campaign
to organise/organize (amerikanisch)	I organised the distribution of company leaflets to all major supermarkets

Weitere Aktionsverben, die der Einfachheit halber bereits in der Vergangenheitsform stehen:

acquired	consolidated	enabled	guided
acted	constructed	engineered	harmonised
adapted	consulted	enlarged	headed
addressed	contained	enlisted	helped
adjusted	contracted	established	hired
analysed	contributed	evaluated	identified
answered	controlled	examined	illustrated
applied	co-ordinated	exceeded	implemented
articulated	created	excelled	improved
assembled	cut	executed	increased
assigned	decided	expanded	influenced
attended	deciphered	expedited	informed
audited	decoded	explained	initiated
balanced	decreased	extracted	inspected
boosted	delivered	facilitated	inspired
broadened	detected	familiarised	installed
certified	determined	filed	instructed
charted	developed	financed	integrated
clarified	devised	fixed	interpreted
coached	diagnosed	focused	interviewed
collected	directed	followed up	introduced
communicated	discovered	formalised	invented
compared	doubled	formulated	joined
compiled	economised	forwarded	launched
completed	edited	founded	lectured
complied	educated	gained	led
composed	eliminated	generated	liaised
conducted	employed	governed	listened

loaded
maintained
managed
marketed
mastered
measured
mediated
merged
met
ministered
moderated
modified
monitored
multiplied
navigated
negotiated
nursed
obtained
opened
operated
ordered
originated
overhauled
performed
persuaded
planned
predicted
prepared
prescribed

presented
produced
programmed
projected
promoted
provided
published
purchased
quadrupled
reclaimed
recommended
reconstructed
recorded
recreated
recruited
recycled
redecorated
redesigned
reduced
regulated
rehabilitated
released
relocated
remodelled
renewed
rented
reorganised
repaired
replaced

reported
represented
researched
resolved
responded
restored
restructured
retained
reviewed
revised
saved
scheduled
screened
sculptured
secured
selected
served
set
shaped
simplified
sold
solicited
solved
specified
standardised
started
stimulated
streamlined
strengthened

studied
subcontracted
submitted
succeeded
summarised
supervised
supplemented
supplied
surveyed
systemised
taught
terminated
tested
traced
tracked
trained
transferred
translated
travelled
tripled
typed
unified
upgraded
validated
won
worked
wrote

Im folgenden finden Sie 20 anschauliche und zum Teil kommentierte *CVs/Resumes*, an denen Sie sich beim Erstellen Ihrer Unterlagen orientieren können. Auch wenn Aufbau und Inhalt bei europäischen und außereuropäischen Lebensläufen gleich sind, so gibt es, wie Sie sehen werden, Unterschiede im Design. Zunächst eine Übersicht mit Angabe des Berufsfeldes:

1. IT/Datenbank	amerikanisch
2. IT/Netzwerke	amerikanisch
3. IT/Sales	amerikanisch
4. Marktforschung	britisch
5. Verwaltung/Personal	britisch
6. MBA/SAP	britisch
7. Übersetzungen	amerikanisch
8. Praktikum/BWL	amerikanisch
9. Hotel	amerikanisch
10. Reise/Flugzeug	britisch
11. Sekretariat	britisch
12. Telekommunikation/Manager	britisch
13. Physiotherapie	britisch
14. Sprachtherapie	amerikanisch
15. Radio/Medien	amerikanisch
16. Medien/Assistenz	britisch
17. Photographie	britisch
18. DeskTop Publishing/Graphik	britisch
19. Baugewerbe	britisch
20. Architektur/Ingenieurswesen	britisch

① Amerikanisch

Im Amerikanischen ohne CV/Resume Betitelung

HEIKO DERECKE
Holleweg 3
80804 Munich
Germany
+49 89 123 4567
DereckeHeiko@T-online.de

Gut: ein allgemein formuliertes Berufsziel

OBJECTIVE

To obtain a position utilizing my extensive database development skills

SKILLS

Excellent knowledge of Oracle Developer/2000, Oracle Forms 4.5, Oracle Designer/2000, Forms Generator, Lotus Notes, PL/SQL, Pro*C, Oracle Discoverer 3.0

Further knowledge: Access, Word, Excel

CAREER HIGHLIGHTS

■ Customizing of Lotus Notes to support customer databases for local Kondaki car dealerships. This project involved programming in Lotus Script and Formula

■ Developing database for spare parts tracking system using an Oracle database, linking southern German car parts dealers and writing manual to enable local spare parts dealers to install database software. This has successfully reduced the time for dealers searching for parts and resulted in higher customer satisfaction as repair times are speedier

■ Project management and supervision of a team of four staff, testing a database covering southern German parts dealerships

■ Redesigning an existing goods tracking system to incorporate the requirements of area dealerships in 14 European countries and adding country specific features, ensuring year 2000 compliancy

PAGE 1

HEIKO DERECKE
Holleweg 3
80804 Munich
Germany
+49 89 123 4567
DereckeHeiko@T-online.de

PROFESSIONAL EXPERIENCE

1996 - present

Kondaki Automobiles   Munich

Responsible for maintaining and developing database applications using L/SQL, Oracle Forms 4.5, Designer/2000 and Lotus Notes. Management of access control and troubleshooting. Project management and database administration

INTERNSHIP

April 1995 - September 1995

DL Engineering Worldwide   Munich

Database support for 200 engineers accessing construction data from all over the world using Oracle. General troubleshooting and user support for Microsoft Word and Excel software

EDUCATION

1990 - 1996

Würzburg University   Diplom in Computer Science (equivalent to M.Sc. degree)

Thesis on "Use of intranet information systems to support communication in large corporations"

1986 - 1990

Wuppertal University   Vordiplom in Computer Science (equivalent to a B.Sc. degree)

Studies included economics/marketing as second subject

1975 to 1984

Heinrich Heine-Gymnasium (High School), Wuppertal Abitur (equivalent to High School Exam)

PAGE 2

② Amerikanisch

Es wäre vielleicht klüger, im Ausland nicht gleich eine so hohe Position anzustreben

THOMAS ALTMANN

Pfälzer Strasse 110 23556 Lübeck Germany Tel +49 451 12345
Mobile +49 171 123456 Email: taltmann@grobi.de

OBJECTIVE: Managing the network and computer development for a large progressive organization.

AREAS OF KNOWLEDGE

SOFTWARE:

NT 4.0/3.51
Windows 95, 3.11, DOS
Novell Netware 3.1
Unix (AIX, HP-UX, Solaris, Linux)
Lotus Notes
MS LAN Manager
MS Exchange Server
MS - Mail
Seagate Arcada Backup 7.1
WordPerfect
Office 95/97
CorelDraw!

NETWORKING EXPERTISE

NT based networks, network cards
Messaging systems based on MS Exchange Server
Network security: login auditing, permissions, user profiles, password security, access rights
Installing and maintaining of 12 file and application servers, 2 mail servers, mail gateways, hubs
Installing, configuring and maintaining server
Implementing LAN and WAN
Managing over 1000 user and mail accounts
Network printer settings
Installed backup system: HP DLT Autoloader Streamer
Network protocols: TCP / IP, NetBeui, DLC
Remote services: RAS Connection
Implemented remote services peripherials: analog modem, ISDN cards,
ISDN router, PCMCIA card-modem, PCMCIA ISDN card, GSM mobile phone cards
Connecting remote users and home offices to the LAN via ISDN and analog connections.
Establishing an email environment
Server monitoring

THOMAS ALTMANN

Pfälzer Strasse 110 23556 Lübeck Germany Tel +49 451 12345
Mobile +49 171 123456 Email: taltmann@grobi.de

EMPLOYMENT HISTORY

NETWORK ADMINISTRATOR
SAD Electronics, Lübeck April 1997 – Present
Leading a team of 8 staff supporting a network of 300 users
Establishing the company's Information Technology strategy for the millennium
Procuring network servers, hardware and software
Supervising installation, configuring and maintaining network server
Sole responsibility for network security

SYSTEMS ADMINISTRATOR
DEG Manufacturing, Hildesheim June 1993 – March 1997
Configuration and allocation of backup space
Installation and maintenance of email accounts and remote user access
Installation and configuration of WAN and LAN
Building local and global user groups

TECHNICAL SUPPORT ENGINEER
Larosse Accounts April 1989 – May 1993
Setting up and maintaining Network environment
Advising on upgrading of software and hardware
Testing of software upgrades
Installing of new software and support of 76 users

EDUCATION

UNIVERSITY OF BREMEN
M.Sc. Degree in Electronics September 1983 – 1989

Hier könnte ausgiebiger darauf eingegangen werden, welche Kurse belegt wurden, denn das Ausbildungssystem in den USA ist ein anderes

GOETHE GYMNASIUM, HUSUM June 1984
German Abitur (Equivalent to High School Exam)

REFERENCES AVAILABLE ON REQUEST

③ Amerikanisch

Ralf Siebald

Allum Strasse 10, 12345 Berlin, Germany
+49 30 123456   R.Siebald@vossnet.de

Career Objective

Field Sales Engineer within the electronic components industry

Professional Skills/Knowledge

- Good customer contacts
- Specialist knowledge of active and passive electronic components
- Excellent understanding of logistics concepts
- Providing quality customer service
- Experience of looking after several customer accounts
- Technical support experience ranging from cross-referencing to design-in
- Planning of competitive strategies
- International sales experience
- Fluent in German, excellent written and spoken English

IT Skills

- Material Management Software Audial
- Windows 3.11, Windows 95 and Windows NT
- Microsoft Office Pro
- Lotus Smart Suite
- Unix/Linux,
- Pascal, C, C++

Employment History

1997 to present   Field Sales Engineer   TeBe Electronics, Berlin
Managing the regular client base for a company specializing in the distribution of electronic components

1995-1996   Sales Executive   Artus Computers, Berlin
In charge of the Notebook Department within a computer superstore

1987-1988   Mandatory Military Service

1985-1987   Apprentice Electrician   Mining Corporation, Duisburg
Training as an electrician in underground coal mines

Education and Academic Studies

1995-1996   M.S. (Engineering)   Technical University, Berlin
Specialist subject: Computer Engineering

1991-1995   B.S. (Engineering)   Technical University, Berlin
Studies in Telecommunications Engineering
Specialist subject: Aerial and high-frequency technology

1989-1991   Technical University, Berlin
Studies in Electrical Engineering

1976-1985   High School Diploma   Karl-Schurz Gymnasium, Berlin

④ Britisch

CURRICULUM VITAE

Herbert Gullover

Auf dem Berg 14, 70376 Stuttgart, Germany, Telephone +49 711 123 4567, Mobile +49 171 1234567

Strengths

- Articulate, analytical and numerate
- Excellent verbal and written communication skills
- Very persuasive in client presentations
- Thrive on juggling several projects at once
- Experience in training and managing staff
- Highly organised and methodical
- Computer literate in Word, Excel, Powerpoint and questionnaire-writing software

Hier wäre es noch wichtig, zu sagen, welche Software man benutzt hat

Work Experience and Achievements

October 98 - present Market Researcher **Vereinigte Transport AG, Stuttgart**
Management of qualitative and quantative research projects on a daily basis, including writing briefs, proposal evaluation, agency management, liaison with internal clients and external suppliers, management of 7 staff allocated to different projects

Achievements
- Project-managed an extensive quantitative survey with 30 field staff surveying customer waiting times in all the networks major overground railway stations
- Completed survey in 70% of time estimated by Senior Management Team

Oct 1997 - Oct 1998 Research Executive **Gulliver Hotel Group, Munich**
Management of market research within the Hotels, including both qualitative and quantative research

Achievements
- Raised profile of market research within the organisation resulting in major improvements in customer data collection and evaluation
- Wrote and developed distribution plan for qualitative survey amongst business users for the hotel. The recommendations from the survey have since increased business bookings by 10%

Sept 1994 - Oct 1997 Research Executive **Global Business Research, Munich**
Quantitative researcher specialising in customer and staff satisfaction studies, commercials pre-testing and advertising tracking.

Achievements
- Major staff satisfaction survey undertaken for a leading German bank resulted in higher counter staff productivity.

Nov 1992 - Sep 1994 Field Controller **Euromarketing Germany, Munich**
Project Manager of both qualitative and quantitative projects in the field office

Education and Qualifications

1986 - 1992 Rochus University Bochum - German University Diploma (English MA) in English Literature and German Studies

1977 - 1986 Karl-Otto Gymnasium Bochum - German Abitur (English A-Levels) in English, German, Biology and History

Personal Details

Date of Birth: 20th September 1966
Nationality: German
Marital Status: Single

Die persönlichen Daten an das Ende des CV zu stellen ist zwar ungewöhnlich, es ist aber alles erlaubt, was der Übersichtlichkeit förderlich ist

⑤ Britisch

Abkürzungen wie IPD, ONC oder HR sollten mindestens einmal ausgeschrieben und erklärt werden. Auf keinen Fall voraussetzen, daß alle Leser die Abkürzungen kennen, auch wenn sie im Fach gebräuchlich sind

CURRICULUM VITAE

CARSTEN LEHMANN
49 HOXTON SQUARE
LONDON EC1 2LX
DAYTIME TEL: 0171 1234567
EVENING TEL: 0171 3456789

PROFILE

A conscientious **Training Coordinator and Administrator** with a wide range of administrative and interpersonal skills having recently passed the IPD (GradIPD) and worked alongside the Head of Personnel, has aspirations for a meaningful position as part of a Personnel/Training Team

Effective Organiser with good administrative ability, able to communicate with staff at all levels, uses own initiative and works to deadlines

Experience of launching and coordinating training programmes. Enjoys taking a lead on projects, new initiatives and utilising **IT skills**

EXPERIENCE AND ACHIEVEMENTS

- As a key member of the launch team **delivered training** for new Windows payment package to staff across the UK, with further involvement in problem solving and continuous development

- **Researched and launched IPD corporate personnel study programme.** Prepared and sent out the tender, selected an appropriate supplier and marketed the course throughout the company. Enabled considerable cost savings from lost study time away from work

- As Training Coordinator, **managed contract** with local college for ONC/HNC academic programmes, recording and communicating results to training officers. Carried out the course induction for apprentices

- **Introduced new job application pack** in line with best practice. Consulted widely with Executive Directors, regional personnel, interviewing managers, recent applicants and staff pilot group to give a new face to First German Bank recruitment

- Part of HR team setting up graduate **assessment centres**. Assisted in the preparation of presentations and group exercises

- Used software programmes including Microsoft Office (Word, Excel, Powerpoint), WordPerfect, Sage, Pegasus and Corel-Draw graphics. Familiar with Internet and e-mail

RELEVANT COURSES

Personnel: GradIPD, Counselling Skills, Managing Open Learning, Open Learning: Design & Performance Analysis and Interviewing Skills
IT: Excel, Powerpoint, Sage Payroll, WordPerfect
Other: Consultancy Skills, Project Management, Time Management, Personal Effectiveness, Advanced First Aid and Disability Awareness

Carsten Lehmann Page 2

Career Summary

April 1997 to date **Training Coordinator/Human Resources - UK Gas Company, London**

Management of corporate open learning programmes (City & Guilds, ONC, HNC & IPD). Research and launch of corporate IPD programme across organisation. Advising Training Officers and Managers on the training progress of their staff. Responsible for contracts with colleges and apprentices' academic training. Budgets and administration

March 1995 to March 1997 **Personnel Administrator - First German Bank, London**

Responsible for the introduction of new application and equal opportunities forms, person specification and standardised job descriptions. Restyling internal vacancy notices and external advertisements to comply with the organisations house style and set up templates in MS Word. Dealing with enquiries from job applicants and implementing of complaints procedures. Evening study of IPD

July 1993 to Feb 1995 **Assistant/Personnel Department - First German Bank, Frankfurt**

Responsible for setting up a database of health files of 3,000 employees, compiling statistics on the frequency of sick leave, advising on maternity benefits, reporting industrial accidents to the relevant Trade Association, keeping records of disabled persons employed by the bank, dealing with correspondence about sick leave and doctor's certificates. Transfer to London Branch of First German Bank

Sept 1990 to June 1993 **Office Administrator - First German Bank, Frankfurt**
3-year Apprenticeship in Office Administration (Handelskaufmann)

Training in all aspects of administration including correspondence, book-keeping, accounting, economics and customer care. Offered permanent employment after training period.

Gut gelöst ist hier die Übersetzung und Darstellung der Inhalte der abgeschlossenen Ausbildung zum Handelskaufmann

Sept 1989 to July 1990 **AuPair with Mr and Mrs Collins, Liverpool**

Responsible for looking after two children aged 8 and 10 whilst studying English part-time

Education and Qualifications

1997 Institute of Personnel & Development professional qualification (Stages 1&2, evening class study). Currently GradIPD, planning to apply for MIPD

1993 Exam as Office Administrator ('Handelskaufmann') - German Chamber of Industry and Commerce, Frankfurt

1990 Cambridge Certificate in Advanced English (CAE) - Liverpool College of Further Education

1982 to 1988 O levels ('Realschulabschluss') - Städtische Realschule, Frankfurt

Additional Information

Date of Birth: 15 October 1972

Marital status: Single

Interests: Travel, running, playing piano. Represented Germany in the European Youth Athletics Championship for under 18s (400m sprint)

⑥ Britisch

CURRICULUM VITAE

PERSONAL DETAILS

Name: Nicolas Katthofer
Date of birth: 06.07.1966
Nationality: German

SKILLS SUMMARY

SAP: SAP R/3 HR (Certified), ABAP/4, Basis

Hardware: Linux, NT 4.0 Workstation/Server - LAN, Win '95, 3.11, DOS
Database: SQL, Lotus Notes, MS- Winplus, Access
Software: MS-Word, Excel, Power Point, Coral Draw!, PhotoImpact, OCR, Via Voice
Server/Services: TCP/IP, Exchange Server 5.5, Router, DNS, DHCP, RAS
IT Tools: MS-Project, Norton Commander, McAffee, PC-Anywhere
Internet, Intranet: FTP, ISDN, Frontpage, Outlook, Outlook Express, Explorer, Netscape, Web-Cam
Various: WinOnCD, Pastel Partner Accounting, Quetzal

Languages:

German	mother tongue
English	fluent (oral and written)
French	good working knowledge
Spanish	a bit rusty

Vorsicht mit umgangssprachlichen Redewendungen - man weiss nie, ob der Leser Humor hat! Hier wirkt "ein bißchen rostig" negativ, besser wäre "basic Spanish"oder "visited evening classes for two years"

Driving Licence: Clean licence held (car and motorcycle)

EDUCATION

Nov 1999 **Certified SAP R/3 HR Release 4.0 Consultant** at CDI Hamburg
Customising, Adjusting of Desktop, Reporting (ABAP/4), Implementing, Basis

1989 - 1994 **MBA** (Diplom-Kaufmann) at Berlin University
Focus on Personnel Management and Law
Grade obtained: B +; Thesis: Grade A

1986-1989 A-level equivalent (Abitur) at IFE Adult Education College, Berlin

Es wäre sinnvoll, hier auch die resultierenden achievements darzustellen also z.B. die Ergebnisse, die mit diesen Strategien erzielt worden sind. Das kann man aber auch im Covering Letter einbringen

WORK EXPERIENCE

1997 - 1999

Workflow Systems Ltd., Manchester
International Sales Representative
* Developed strategies for the expansion of German client base
* Responsible for approaching Austrian and Swiss market
* Design and translation of new sales and marketing brochures
* Received extensive training in Quetzal 4.0, a Client-Server Help Desk Solution software

1996 - 1997

TRL Telephone Research Ltd., London/
BRI (Business Research International), London
Part Time Telephone Interviewer
* German and English interviews
* Translation of questionnaires

1994 - 1996

Sando Vertriebs GmbH, Berlin
Assistant to Managing Director
* Direct sales and new business research
* Represented company at trade fairs
* Developed new marketing materials
* Set up dealership network

1994

Danmart Ltd., Melbourne, Australia
Work Placement (Three months)
* Implemented Windows based Accounting System Pastel Partner Accounting 3.1
* Trained 40 staff in Pastel Partner
* Developed detailed schedules and cost evaluations for several projects

1994

Greibmann Yachtenhandel GmbH, Berlin
Work Placement (Four months)
* Dealt with charter and travel arrangements
* Maintained and reorganised an MS-Winplus database

HOBBIES

Sailing (Skipper on large yachts as well as small, fast jigs), Dancing Tango, Jogging, Reading and Diving

REFERENCES AVAILABLE ON REQUEST

⑦ Amerikanisch

Luise Wörtmann, Kölner Strasse 45, 80035 Munich
Tel: 0049-89-123456

Background: **A highly experienced and accurate translator with German (mother-tongue), English (fluent; resident in London for 10 years) and Spanish (excellent knowledge; resident in Madrid for 2 years). Specialist knowledge in the field of engineering and commercial translations. Excellent interpersonal and organizational skills. Good teamworker, calm, patient, motivated and used to working to tight deadlines.**

Skills Summary

- 8 years experience as a translator for a leading German engineering company translating English, German and Spanish texts with main emphasis on technical specifications, legal and international advertising and marketing materials.
- Translation of handbooks for specially commissioned or customised computer applications at SIG Worldwide for engineering, accounting and technical drawing software.
- Translation of operating manuals for process descriptions in chemical plants and user instructions for internal translation databases.
- Experience in dealing with confidential information in a formal setting as occasional interpreter in court for the British Army.
- Competent use of Microsoft Products; Word, Excel, Powerpoint, WordPerfect, TERMEX database and customising of database for translation use.
- Excellent administration skills, scheduling and prioritising.

Career History

May 91 - present	***Translator***	**SIG Worldwide Engineering, Munich**
Sept 86 - April 91	***Translator***	**Löhrmann Publishing, Düsseldorf**
Aug 81 - Jun 86	***Translator/Copywriter***	**Euromarketing Ltd, London**
Sept 79 - Jul 85	***Translator/Secretary***	**British Military Base, Bielefeld**
Aug 78 - Febr 79	***Private Tutor in German***	**Eurolingo School, Madrid**

Education

Jan 78 - June 78 **University of Madrid**
6 month course for foreign students.

June 77 **German Chamber of Industry and Commerce Certificate in Translation for English and Spanish**
Oral and written exams testing translation skills in English and Spanish. The 4 day exam covered legal, business, journalistic, literary and spoken language.

Jan 75 - June 77 **Ravensburg School of Languages**
2 years full-time course in English and Spanish including business studies, economics, advertising and law in the context of translation and interpreting.

⑧ Amerikanisch

Regina Davenport

Geranienstrasse 7 13249 Berlin
Germany Tel.: +49 30 123456

Career Target: To obtain an internship within the marketing department of a large financial organisation to enhance my education and experience as a marketing professional

Education:

Oct 1993 to present Study of Business Administration **Berlin University, Germany**
Graduation date: ***May 1999*** as *Diplom-Kauffrau* (M.B.A.)
Grade (expected): A

Thesis: The internet as a marketing opportunity for financial institutions
Grade: A

Sept 1995 to July 1996 New York University, U.S.A. (scholarship granted by the *DAAD* and the *Education Abroad Program*)
Grade: GPA 3.422

Feb 1995 Vordiplom (Associate degree) ***Grade: B***

Main subjects of study:

Marketing ***Grade: not yet available***
Market research, marketing strategies, public relations, product-, price-, distribution- and communication policy

Managerial Economics and Organization ***Grade: A***
Organizational development, Personnel management

Communication Studies ***Grade: A***
Media analysis

Business Calculation and Financing ***Grade: B***
Cost accounting, calculations of investments, business strategies, controlling

Economics ***Grade: A***
Micro-economics, macro-economics, foreign trade

June 1992 High School Diploma ***Grade: B***
1987 to1992 Hermann-Hesse-Gymnasium (High school), Hamburg, Germany

Work Experience:

Sep 1997 to Oct 1997 Internship (marketing; public relations) GIMA Euromarketing, Berlin
July 1994 to Oct 1994 Internship (managerial assistance) Hamer GmbH, Berlin, Germany
Apr 1993 to Oct 1998 Temporary Promotions Assistant at various trade exhibitions
Oct 1992 to Mar 1993 Au-Pair, New York, U.S.A.

Die Praktika und auch die verschiedenen Anstellungen sollten unbedingt etwas ausführlicher beschrieben werden. Zu starker Schwerpunkt auf dem Studium

Languages: German: native speaker; English: fluent (written and spoken); Spanish: intermediate

Interests: Tennis, architecture, current affairs and classical music

⑨ Amerikanisch

Klaus Maruzky · Hibbelsweg 78 · 80335 München · Germany
+49-89-000000 · Email: Kmaruzky@hotmail.com

OBJECTIVE: A customer service position in the hotel or leisure industry

SKILLS, KNOWLEDGE AND EXPERIENCE

Food and Beverages: Storage and monthly stock-taking, stock control, calculations and statistics for projecting consumption, book-keeping and calculating monthly income

Events Management: Coordination of departments involved in events, point of contact for seminar and conference delegates, booking, scheduling and costing of events including an international economic conference with 200 delegates and special security arrangements for VIP guests, liaison with members of the press, special promotional weeks

Restaurant/Bar: Banqueting service, management of breakfast service, bar and bistro management, staff supervision, excellent cocktail and wine knowledge

Front Desk: Reception duties, reservations, switchboard, cash and credit card transactions, concierge duties

Communication Skills: Good interpersonal skills, especially when dealing with difficult customers, able to resolve problems with tact and discretion

Computer Skills: Windows 95, Word, Excel, internet and email

Languages: Fluent German, excellent written and spoken English, good knowledge of French

WORK HISTORY

1997 - present Assistant Manager, Bistro and Bar
Navos Hotels Munich (5 star, 156 rooms)
· Shift management of the Hotel Bistro, Lounge and Bar, supervising of service at banquets and large events

1996 - 1997 Receptionist
Goss House Hotel, London, England
· Switchboard, reservations, reception, cash and credit card transactions, concierge duties

1995 - 1996 Food and Beverage Trainee, temporary manager breakfast service
Navos Hotels Berlin (5 star, 240 rooms)
· Practical training in all aspects of hotel management

1994 - 1995 Silver Service Waiter
Navos Hotels Berlin
· Restaurant and banqueting service, offered position as Food and Beverage Trainee

1992 - 1995 Military Service, Officers Casino, Braunschweig

1

Klaus Maruzky · Hibbelsweg 78 · 80335 München
+44-89-000000 · Email: Kmaruzky@hotmail.com

QUALIFICATIONS

1989 - 1992 Restaurant/Catering Trainee (Three-year apprenticeship consisting of practical training and theoretical coursework supervised by the German Chamber of Commerce)
Global Hotels, Hamburg

1992 Trade exam in Catering, Chamber of Industry and Commerce, Berlin

Certified Wine Advisor - attended various training courses held by the German Institute for Fine Wines

HONORS

August 1993 5th prize (Restaurant Trade) in International Vocational Training/Youth Skills Olympics Competition held in Tokyo, Japan

October 1992 Winner of German Restaurant Trade Youth Trainee Championship

March 1992 Silver medal in Hamburg County Restaurant Trade Youth Trainee Championship

REFERENCES

Dr. Dirk Löterich
MD
Navos Hotels Munich
Effnerplatz 9
81234 Munich
Germany

Vanessa Ratton
Chief of Staff
Gross House Hotel
22-26 Essex Road
London N1 6EY

2

MANFRED GRABOWSKI

104b Essex Road London N1 6UJ
Tel: 0171 123 4567 Email: mgrabowski@hotmail.com

Date of Birth: 12 February 1969
Nationality: German

EDUCATION AND QUALIFICATIONS

Bei diesem Beispiel ist aus der ersten Seite nur schwer zu erkennen, daß der Bewerber im Berich 'Travel' arbeiten will. Damit der Leser gleich den roten Faden findet, wäre es besser gewesen, gleich mit WORK EXPERIENCE anzufangen.

Sept 1992 - June 1996 **Manchester University**
BA (Hons) Leisure & Tourism Management Degree/Transport Management Pathway
First Class

April 1994 - June 1994 **Madrid Language School**
Spanish Course in Madrid

Nov 1988 - Feb 1989 **Rome Central Language School**
Italian Course in Rome leading to Magister Linguae Diploma

Sept 1980 - Jun 1988 **Heinrich-Heine Gymnasium, Cologne**
Abitur (A-Levels)

LANGUAGE AND COMPUTER SKILLS

- English, German and French (fluent written, and spoken), Spanish (advanced), Italian (intermediate)
- Microsoft Office '97 (MS Word, Excel, PowerPoint)
- Internet and Email
- Amadeus, Galileo, START, Cobra, British Airways' Departure Control System (DCS)

ADDITIONAL SKILLS AND INTERESTS

- Excellent analytical and organisational skills, able to solve problems fast and efficiently
- Very good communication, presentation and negotiation skills, acquired both in my professional life and my degree course
- Able and willing to take responsibility and use my initiative in a hands-on approach
- Calm and effective under pressure, used to working unsociable hours and shifts
- Full driving licence (no endorsements)
- I have travelled extensively all over the world and have particularly good knowledge of Europe, Asia and the Americas
- My leisure interests are reading (especially travel books), cinema, tennis, skiing and swimming

WORK EXPERIENCE

Nov 1996 - Present **WAM (Worldwide Artists Management), London**
Logistics and Travel Coordinator

- Coordination of represented artists' travel and accommodation within Europe and to/from the USA
- Bulk contract negotiations with major airlines, railway companies and hotels (including BARTER agreements)
- Organisation of freight shipments for equipment and merchandise
- Assistance with events and festival management
- Organisation of WAM international board meetings and broadcasters' conferences
- Implementation of budget controls for travel
- Handling of artists' work permit applications for the UK, France and Germany
- In-house systems support for Amadeus

Mar 1995 - Jun 1996 **LM Travel, Manchester**
Travel Consultant (Part-time alongside University Studies)

- Selling specialised transport and accommodation products to the youth and student market
- Organisation of promotional events
- Training of new staff
- Cashing up and banking procedures

July 1994 - Sept 1994 **CDE Airlines, Malaga, Spain**
Travel Consultant (Temporary work in University holiday)

- Individual and group bookings for business clients
- Liaison with partner airlines and associated travel agents
- Assistance with local PR and promotional events throughout southern Spain
- Booking advertising space in newspapers and business publications
- Creditor/Debtor Analysis and basic accounts procedures

June 1991 - Sept 1992 **ABC Airport Services, Berlin, Germany**
Ground Representative

- Check-in/gate procedures and passenger assistance, working closely alongside the operations department
- Assistant shift supervisor and team leader
- Liaison with partner airlines, caterers and airport authorities
- Training of new staff

Sept 1989 - May 1991 **ABC Travel, Berlin, Germany**
Apprentice Travel Agent

- Full IATA training covering all areas of business and leisure travel for individuals, group and business travel
- Final exam at the Chamber of Industry and Commerce in subjects such as accounts, travel law, marketing and manual flight fare calculation

REFERENCES AVAILABLE ON REQUEST

CURRICULUM VITAE

Name: Beate Wiedemann
Address: Steinstr. 62
44357 Dortmund
Telephone: 0049 231 123456 (daytime)
0049 231 234567 (evenings)
Date of Birth: 4 June 1968

Profile

Efficient and organised Team Secretary with a wealth of skills gained in a variety of organisations. Very good at working under pressure within a hectic environment with changing priorities

Key skills

Audio typing (75wpm), shorthand, book-keeping, word-processing and accounting using up-to-date versions of Word, WordPerfect, Lotus 1-2-3, Impress and Excel

Career Background

1995-present Team Secretary
Architektengruppe Liebermann, Dortmund

- Providing secretarial support to eight architects including three working from the Leipzig branch of the company
- Typing up progress reports for various on-going building projects
- Photocopying, collating and distributing progress reports
- Checking invoices and chasing up payments
- Arranging duplication and mailing/courier for architectural drawings
- Filing forms, correspondence and copies of drawings
- Keeping check on stock and ordering as necessary
- Organising appointments and making travel arrangements

Beate Wiedemann **Page 2**

1990-1995 School Secretary
Haberland Grundschule, Dortmund

- Secretarial support for the head teacher
- Stock control for the school's stationary
- Helping to organise school trips
- Book-keeping for the school fund and petty cash

1986-1990 Receptionist/Secretary
Garmann Steuerberatungsbuero, Bochum

- Taking telephone calls and passing on messages immediately
- Welcoming visitors and announcing their arrival to relevant staff
- Keeping a diary for meeting and conference rooms

Education and Qualifications

1984-1986 Certificate in Secretarial and Book-keeping studies, Secretarial School, Dortmund

1978- 1984 Realschulabschluss (equivalent to English O-Levels) Albert-Schweitzer Realschule Dortmund

Leisure Interests

Gardening, swimming and reading

Curriculum Vitae

Franz Maier • Blumengasse 10
22087 Hamburg • Tel: 0049 40 123456

Profile

An experienced and conscientious Manager with excellent organisational skills. Very resourceful when dealing with problem-solving. Good negotiation and teamworking skills. Successfully ran a busy office environment gaining valuable knowledge of improving departmental efficiency. Excellent word-processing and database management skills.

Employment History

1993-present

MANAGER AT TELECOMMUNICATIONS INC, HAMBURG
Responsible for setting up improved maintenance procedures for large private telephone exchanges
Main achievements
- Managed testing and implementing of new parts specifications resulting in savings of £20,000 per year
- Published operating procedure report which increased efficiency of engineering, sales and supervisory staff

1990-1993

REPAIR SERVICES MANAGER AT CONTRACT LINES LTD, HAMBURG
Responsible for resolving reported problems on contract telephone lines and managing repair service with 11 staff
Main Achievements
- Major improvements in speed of fault repair service
- Installation of new telephone exchange with minimal disruption of service

1988-1990

AREA SUPERVISOR AT CONTRACT LINES LTD, HAMBURG
Supervised staff of 7 repairing and maintaining business exchanges, covering central area of Hamburg
Main Achievements
- Recruited new team and set up areas of responsibility
- Introduced specialised sub-groups within the area, resulting in more effective repair-service delivery, this concept was introduced into other towns covered by Contract Lines Ltd

1970-1988	**TELECOMMUNICATIONS ENGINEER AT TELEFON GESELLSCHAFT, HAMBURG** *Started as electrician, was promoted to Telecommunications Engineer in 1976 after further study. Gained knowledge of all areas of telecommunication as an engineer, then promoted to Area Supervisor of Hamburgs pay-phone maintenance division* **Main Achievements** • Installation of 200 new phonebooths • Promotion to supervisor
1967-1970	**ELECTRICIAN (APPRENTICESHIP AT HAMBURG CENTRAL ELECTRICITY)** *Training covered single phase, industrial three-phase and high voltage, heavy duty electrical switchgear, testing requirements, electrical regulations and legislation, domestic and industrial wiring, cabling and circuits*

Qualifications

1972-1976	Diplom (equivalent to British BTEC Higher National Diploma) in Telecommunications Engineering at Hamburg Technical College (day release and evening study). The course covered equipment and materials, health and safety, telephone exchanges, circuits and wiring and relevant mathematics and physics. Qualified as Telecommunications Engineer

Education

1970	Exam at the German Chamber of Industry and Commerce after three-year apprenticeship. Qualified as Electrician

Personal Details

Date of Birth: 5th March 1951
Marital Status: Married
Full clean driving licence held

Interests

- Treasurer of Hamburg West Sports club
- Home electronics
- Sailing

⑬ Britisch

Curriculum Vitae

Name:	Claudia Schulz
Address:	Lange Strasse 7 44357 Dortmund Germany
Telephone:	+49 231 1234567
Date of Birth:	22.8.73

Education & Qualifications

Sept 90 - Oct 93	**Medical College, Bochum** Study of Physiotherapy and Certification as Physiotherapist
Sept 84 - July 90	**Albrecht Duerer Realschule, Bonn** Realschulabschluss (= O - Levels)

Additional Training & Advanced Studies

March 97	**School of Homeopathy, Herdecke** Reflexology massage
Sept 95	**Association of Physiotherapists, Muenster** Orthopedic training for back problems including diagnosis and treatment
July 94	**Association of Physiotherapists, Muenster** Dance and movement in physiotherapy
Aug 93	**Neuro-medical Training Centre, Bochum and Anatomical Institute at Bochum University** Advanced training in functional and practical anatomy
June 93	**Academy for Training & Advancement of Physiotherapy, Muenster** Foundation course in functional movement

Hier wären mehr Informationen angebracht

Employment History

May 95 to present	Physiotherapist at Physiotherapy Practice of Klaus Granta, Dortmund
Oct 93 - April 95	Physiotherapist at Physiotherapy Practice of Gisela Vista, Bochum
Oct 92 - Sept 93	Work Placement at Rehabilitation Clinic of Dr. Heinz Siebald, Herdecke

⑭ Amerikanisch

▶▶▶ **Rebecca Gildena,** Hermannsweg 13, 12345 Berlin, Tel: +49 30 1234567

Career Highlights

- ▲ 6 years' experience in producing commercials and programs for national and local radio stations
- ▲ Producer of audio tapes in different languages including Turkish, Spanish and French
- ▲ Skills in digital and analogue editing, interviewing, scriptwriting, presenting, production and direction
- ▲ Two British Advertising Industry Awards for production, casting and direction of Anti Drink Driving radio campaign
- ▲ Experience in live broadcasting of current affairs news bulletins

Work History

October 1997 - Present Freelance Radio Producer, Berlin

- Consultancy for Berlin FM, advising on setting up a casting database
- Organizing a client events day to help improve creative standards of local commercials resulting in 20 new clients
- Setting up a database of foreign voices for a recording studio
- Producing a series of audio tapes about health in 7 languages including Turkish, Spanish and French
- Producing a quarterly magazine programme for the blind

July 1995 - October 1997 Radio Producer Aberst Kay & Blumert Advertising, London

- Production, casting and direction of national commercials and fillers for a variety of clients including British Ministry of Defence (Army Recruitment) & Department of Transport (Drink Driving)
- Producing Audio News Releases (short programmes) using editing (digital & analogue), interviewing, scriptwriting, production and direction skills
- Setting up and producing multi-media broadcasts for a variety of clients including Campaign Against Drink Driving

May 1993 - June 1995 Production Assistant Berlin Sound and Vision

- Working directly with top advertising agencies
- Assisting on the production of commercials for a variety of clients including American Express and Coca Cola (40 commercials produced in two months)

March 1993 - April 1993 Internship WDR Cologne

- Assisting the producer with program preparation and research
- Preparing correspondence and confirming interview dates
- Monitoring incoming telephone calls in response to competitions

July 1992 - February 1993 Producer/Presenter, University Radio, Berlin (Part-time)

- Producing a fortnightly current affairs program on national and local issues
- Interviewing, script writing and presenting live on air
- Presenting and engineering a weekly request show
- Taking calls from students

Qualifications

Das Studium wurde nach dem Vordiplom abgebrochen. Die genaue Übersetzung ist sehr problematisch

First Diploma in Media Studies=B.A.
The course included study of radio production, interviewing, editing, scriptwriting, producing and presenting

German Abitur=High School Exam
Subjects: German, English, Maths and History

SILKE C. MEISSNER

123 RAMONA DRIVE • LOS ANGELES, CALIFORNIA 12345 • TELEPHONE: (123) 456-7890

Professional Objective

To obtain a position as a coordinator in Rehabilitation Services at Detroit Hospital.

Education

Kennedy University, Los Angeles, California **December 1995**
Master of Science in Speech-Language Pathology, GPA: 3.85/4.00
Thesis: Functional Categories in the Grammar of English and German Speaking Children with Specific Language Impairment: A Cross-Linguistic Study

Franklin University, Boston, Massachusetts **May 1993**
Bachelor of Science, GPA: 3.67/4.00
Magna Cum Lauda with Honors in Communication Sciences & Disorders
Thesis: The Phonology of Bilingual (German/English) Children: Preliminary Observations

Certifications and Licenses

CPR BLS Instructor **March 1997**
American Heart Association

Speech, Language and Hearing Clinician Teacher's License **December 1996**
California Professional Standards Board

Speech-Language Pathology License **December 1996**
California Speech-Language-Hearing Association

Certificate of Clinical Competence: Speech-Language Pathology **June 1996**
American Speech-Language-Hearing Association

Experience

Speech-Language Pathologist **September 1995 to Present**
West Hospital, Los Angeles, California

- Diagnose and treat adults with a variety of neurogenic disorders, head and neck cancer, tracheotomy and/or ventilator dependency
- Follow patients from intensive care through acute care to transitional/subacute care units
- Perform modified barium swallow studies and rigid videostroboscopy regularly
- Manage up to two caseloads by directing rehabilitation technicians, supplementals, and co-workers
- Orientate and supervise undergraduate, graduate and nursing students, residents, rehabilitation technicians and co-workers
- Participate in clinical rounds with care coordinators, physicians, physiatrists, nursing, social workers, and other therapists
- Member of quality improvement, tech pilot, and continued education committees
- Assisted with articles for hospital and community education during Better Speech and Hearing Month
- Received recognition for outstanding contribution to the staff patient education fair
- Developed and coordinated feeding group together with occupational therapy, nursing and dietary on the transitional care unit
- Trained co-worker in CPR

Speech-Language Pathology Trainee
Over 450 supervised clinical clock hours in speech-language pathology and audiology obtained in the following settings:

M.D. Steer Audiology and Speech Language Clinic — **Fall 1993 to Spring 1995**
Kennedy University, Los Angeles, California
Maplewood Elementary School/Davis Junior High — **March 1995 to May 1995**
Metropolitan School District West, Los Angeles, California
Speech and Audiology Department — **May 1994 to July 1994**
Methodist Hospital, Los Angeles, California
Department of Speech and Language Diagnostic and Therapy — **June 1993 to July 1993**
Knappschaftskrankenhaus, Cologne, Germany
Institute for Voice and Language Therapy — **May 1992 to June 1992**
Kreiskrankenhaus Sauerland Nord, Bruchhausen, Germany

Experience gained:

- Diagnostic and therapeutic management of children and adults in group and individual sessions in the areas of phonology, language, fluency, myofunctional impairments, oral facial paresis, dysphagia, aphasia, dysarthria, cognitive impairments, laryngectomy, voice augmentative and alternative communications, and aural rehabilitation
- Experienced in preschool, kindergarten, elementary, and junior high school settings as well as out-patient, acute care, and geriatric extended care settings
- Particular opportunities included participation in interdisciplinary augmentative and alternative communication assessment, neonatal follow up, and craniofacial assessment teams

Other Experience (1990 to 1994)

Administrative Assistant - M.D. Steer Speech-Language Clinic, Volunteer Ambulance Aid - Franklin University Ambulance, tutor: Beginners German - Office of Student Service, Franklin University, Medical Record Clerk - Franklin University Health Center, Nursing Aid - Ev. Krankenhaus, Castrop-Rauxel, Germany

Publications

Meissner, S.C. and Garmond, L.B. (1997).
Grammatical Deficits in German and English: A Cross-Linguistic Study of Children with Specific Language Impairment.

Continuing/ Professional Education

- Principles of Videostroboscopy — **July 1997**
  ASHA Competency Series
- Functional Outcomes: Issues in SLP, PT and OT — **June 1997**
  Northern Speech Services
- Oral Mechanism Examination — **May 1997**
  ASHA Competency Series
- Reading Videofluroscopic Studies & Planning Treatment — **March 1997**
  ASHA Competency
- Assessment and Treatment of Adults Requiring Trachs & Vents — **November 1996**
  National Rehabilitation Services Inc.
- Issues in the Diagnosis and Treatment of Dysphagia — **January 1996**
  Rehabilitation Institute of Chicago

Professional Affiliations

American Speech-Language-Hearing Association

CURRICULUM VITAE

Name	Simone Gapolli
Address	Radhausstr.40 22345 Hamburg Germany
Telephone	+49 40 123 4567
Nationality	German
D.O.B.	17.07.1966

EDUCATION & QUALIFICATIONS

September 1985 - July 1989

FACHHOCHSCHULE, LUDWIGSBURG
Diplom, English and Media Studies
(German equivalent to BA)

August 1976 - July 1985

WERNER GABLER-GYMNASIUM, HANNOVER
Abitur (German equivalent to English 'A' Levels)

English	Grade B
History	Grade B
Music	Grade C
Maths	Grade C

EMPLOYMENT HISTORY

April 1994 - Present

MEDIEN WERBECENTER, HAMBURG

German Publications Monitor

Duties include: Monitoring German magazines and newspapers with regard to advertising space by major advertisers. Liaising with German publishers about advertising rates and back issues of periodicals and newspapers. Supervising two publications assistants.

August 1992 - January 1994

KONTAKT WERBEAGENTUR, HAMBURG

Office Assistant

Duties included: Compiling and recording client data, organising exhibitions, approaching companies for new business, dealing with European clients, handling enquiries from the press.

WORK PLACEMENT

June 1988-September 1988	SIEDERMAN PUBLIC RELATIONS, LUDWIGSBURG Duties included: Compiling press cuttings, research on potential clients, assisting at promotional events

ADDITIONAL INFORMATION

Good knowledge of Apple Macintosh programmes Page-maker, Freehand and Microsoft Word WP package. Fluency in German and conversational French. Evening class in Russian for beginners.

Full clean driving licence held.

INTERESTS

Music, art, sports including cycling, swimming and dancing, current affairs and reading.

REFERENCES

Titus Menzel
Art Director
Kontakt Werbeagentur
Am Kai 2
D-22765 Hamburg

Claudia Wiesner
Editor
Siedermann Public Relations
Hochgasse 15
D-69853 Ludwigsburg

Prof. Dr. Dr. Wilhelm Röhrig
Fachhochschule Ludwigsburg
Universitätsstraße 12
D-69811 Ludwigsburg

⑰ Britisch

Oliver Rauh · Photographer

Bebinger Weg 23·1234 Hamburg·Tel 0049 80 123456·Mobile 0956 123456

Work Experience and Freelance Work

June 1994 to present Hamburger Morgen (Hamburg Morning News) Photographer

- getting the right picture to suit the story whilst meeting the dead line, taking photographs documenting local and national news, liaising with reporters and editors, supervising dark room operatives

May 1988 to 1994 Freelance photographer

- Photographs published in Berliner Tageszeitung and Die Welt
- Regular commissions from Norddeutsche Zeitung, Oldenburger Abendzeitung, Banking Weekly, Music Online and Das Lehrer Journal
- Commissioned by French magazine Travail for a series on agricultural farming

Exhibitions, Awards & Personal Projects

1998 Photographic project at a school for blind children. This work has been exhibited nation-wide and is due to be published in book form

1994 Exhibited photographs in an exhibition for the Spanish Tourist Authority during a three-month stay in Spain

1993 First prize in nation-wide government competition (A stranger in Germany)

Skills

- Good interpersonal skills, experienced in dealing with sensitive news issues
- Excellent knowledge of 35mm, medium format and large format cameras such as Nikon, Hasselblad, Mamlya, Bronica and Sinar
- Thorough experience in colour and b/w printing and film processing
- Working knowledge of Adobe Photoshop and Quark Xpress on Apple Macintosh
- Extensive experience of location and studio work
- Fluent German, good knowledge of English and French
- Full driving licence (No endorsements)

Personal Details

Date of Birth: 15 September 1961
Marital Status: Married
Nationality: German

Besonders bei Berufen im künstlerischen Bereich sollte man schon bei der optischen Gestaltung des Lebenslaufes Kreativität beweisen. Es wäre sinnvoll, auch Arbeitsbeispiele beizufügen (am besten Kopien, denn man bekommt sie nicht zurück).

⑱ Britisch

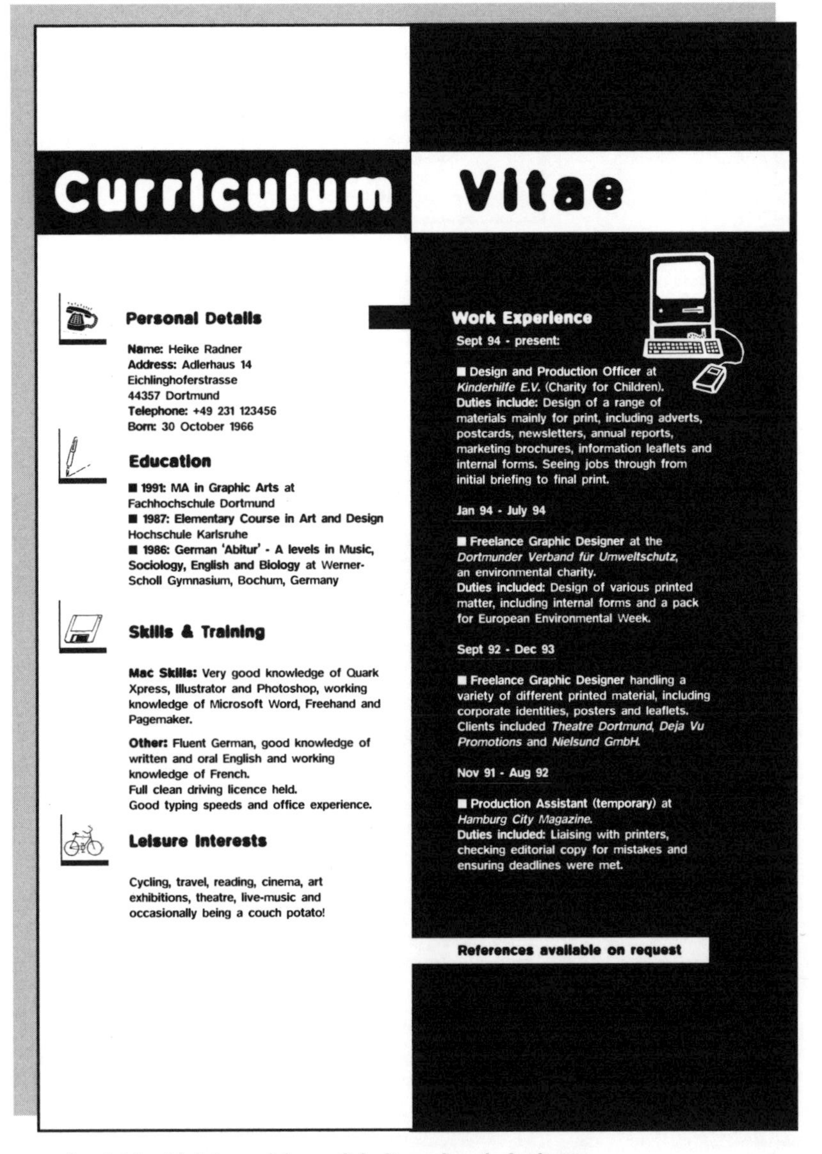

Curriculum Vitae

Personal Details

Name: Heike Radner
Address: Adlerhaus 14
Eichlinghoferstrasse
44357 Dortmund
Telephone: +49 231 123456
Born: 30 October 1966

Education

■ **1991: MA in Graphic Arts** at Fachhochschule Dortmund
■ **1987: Elementary Course in Art and Design** Hochschule Karlsruhe
■ **1986: German 'Abitur' - A levels in Music, Sociology, English and Biology** at Werner-Scholl Gymnasium, Bochum, Germany

Skills & Training

Mac Skills: Very good knowledge of Quark Xpress, Illustrator and Photoshop, working knowledge of Microsoft Word, Freehand and Pagemaker.

Other: Fluent German, good knowledge of written and oral English and working knowledge of French.
Full clean driving licence held.
Good typing speeds and office experience.

Leisure Interests

Cycling, travel, reading, cinema, art exhibitions, theatre, live-music and occasionally being a couch potato!

Work Experience

Sept 94 - present:

■ **Design and Production Officer** at *Kinderhilfe E.V.* (Charity for Children).
Duties include: Design of a range of materials mainly for print, including adverts, postcards, newsletters, annual reports, marketing brochures, information leaflets and internal forms. Seeing jobs through from initial briefing to final print.

Jan 94 - July 94

■ **Freelance Graphic Designer** at the *Dortmunder Verband für Umweltschutz*, an environmental charity.
Duties included: Design of various printed matter, including internal forms and a pack for European Environmental Week.

Sept 92 - Dec 93

■ **Freelance Graphic Designer** handling a variety of different printed material, including corporate identities, posters and leaflets. Clients included *Theatre Dortmund, Deja Vu Promotions* and *Nielsund GmbH.*

Nov 91 - Aug 92

■ **Production Assistant** (temporary) at *Hamburg City Magazine.*
Duties included: Liaising with printers, checking editorial copy for mistakes and ensuring deadlines were met.

References available on request

Auch hier bietet es sich an, Arbeitsproben beizulegen.

⑲ Britisch

Peter Grossmann B.Sc., ARICS
18 Long Lane
Brighton BH2 7UK
Tel/Fax: 01723 12345
Mobile: 0410 123456

Personal Details

Date of Birth:	5 January 1961
Age:	38
Nationality:	German
Professional Status:	Associate Member of the Royal Institute of Chartered Surveyors

Education

1971 - 1980	Geschwister Scholl Gymnasium, Husum German Abitur (equivalent to English A-Levels)
1980 - 1983	Apprenticeship as Draughtsman (Technical Drawing), Hamburg
1983 - 1987	Middlesex Polytechnic B.Sc Building Surveying

Hier sollten weitere Informationen zur Lehre aufgeführt werden!

Present Employment

March 1997 - present	Freelance Building Surveyor
	Appointed on a self-employed basis by commercial and residential practices. Work includes assessing the dilapidation liability, condition schedules and building surveys of warehouses, depots and commercial buildings.

Past Employment

Nov 1995 - Feb 1997	Building Surveyor
Employer	Anytown Corporation
	Structural surveys, dilapidation, refurbishment and repair of the Corporation's commercial property. Organising and co-ordinating building work up to a value of 3/4 million, some of which progressed through project management.
Aug 1993 - Sept 1995	Assistant Building Surveyor
Employer	Miller & Smith
	Structural surveys of commercial properties, dilapidation, fire insurance valuations and external maintenance contracts. Experience in project management.

Peter Grossmann B.Sc., ARICS

Nov 1991 - July 1993	Assistant Building Surveyor in Non-Residential Property Maintenance Section
Employer	Anytown Council
	Co-ordinating refurbishment and maintenance contracts under a programme of planned maintenance. Responsibility for the preparation of surveys, schedules, drawings, specifications and reports on building matters.
Aug 1989 - Oct 1991	Assistant Building Surveyor
Employer	Harris Johnson & Associates
	Responsible to the Branch Manager for preparing specifications and drawings for refurbishment work to commercial properties. Also, undertaking feasibility surveys of local housing stock for development by a Housing Association.
Sept 1988 - July 1989	Assistant Building Surveyor
Employer	Harvey & Setterman
	Schedules of Condition, Schedules of Repair, Schedules of Dilapidation, fire insurance valuations, building surveys, specification writing, preparation of tender, contract documentation and monitoring work on site.

Other Experience & Interests

July 1987 - June 1988	I spent a year after college travelling in South East Asia.
	My leisure pursuits are Tennis (Schleswig-Holstein County Youth Champion in 1975), Badminton and Golf.
	Full clean driving licence held.
	Fluent German and English, good knowledge of written and spoken French.

References

Mr Henry Mills
Head of Estates
Anytown Corporation
Any Road
Anytown

Mr John Gartman
Director
Hodges Associates
Any Road
Anytown

Curriculum Vitae

Name: Claudia Droll (Dipl.-Ing.)
Address: Gartenstrasse 133, 22765 Hamburg, Germany
Telephone: 0049 40 12345678
Date of Birth: 18/03/71

Key Skills and Qualities
MiniCad, ArchiCad, Photoshop, QuarkXpress, modelmaking, confident draughtswoman, reliable team worker

Architectural Experience

June 1997 - present
Hasner+Martigue Architects, Hamburg
Designing final presentations for projects, preparing a planning application for refurbishing the old town of Amiens in France, working on a residential project for 40 units in Leipzig, researching and preparing theoretical lectures in urban design and infrastructure for Hamburg University, concept, detailed drawings, model-making and presentation report for the competition entry 'Berlin - A Car-free City'.

Nov 1996 - May 1997
June 1995 - Aug 1995
Architektengruppe Largo (architects specialising in ecological planning), Berlin
Designing and detailing an extension for the office, refurbishing an old car repair shop as office space, detailing and drawing up plans for refurbishing a former farm house including site inspections, concept and detailed plans for the conservatory of a detached family house under ecological aspects.

Aug 1994 – March 1995
***Bauen* ('Building' architects newsletter), Berlin**
Assistant editor, producing articles on contemporary architecture, writing reviews of buildings, taking photographs, researching articles.

March 1994 – Aug 1994
May 93 - Oct 93
Architektengruppe Largo, Berlin
Designing, detailing, drawing up and coordinating the construction of a detached family house with ecological materials. This included liaising with the construction engineers, evaluating the site and preparing presentations of the finished work.

April 1992 - Nov 1992
Trott Architects (BDA), Berlin
Participating in a wide range of duties and activities at various work stages including detailed drawings and specifications for conservatories, galleries, stairs and doors for a large residential complex.

Education

July 1997 Technical University, Berlin, "Diplom" (exam entitles to academic Dipl.-Ing) (British equivalent: MA in Architecture)
1995-1996 Paris University, France: Design project with Prof. Nattuox
Dec 1994 Winterschool Birmingham: architecture at the edge
1990-1997 Technical University, Berlin, "Vordiplom" (British equivalent: BA in Architecture)
1981-1990 Werner Teuer Gymnasium, Berlin, German Abitur (British equivalent: A-Levels)

Languages
German (native speaker), English (fluent), French (fluent)

Interests
Sculpture, travel and cinema

References
Wilhelm Hasner, Prof. Dr. Dipl.-Ing., Hasner + Martigue, Hardwigstrasse 10, 22234 Hamburg, Germany, Tel: 0049 40 123456
Andreas Gehlhardt, Dipl.-Ing., Architektengruppe Largo, Lange Strasse 10, 12345 Berlin, Germany, Tel: 0049 30 1234567

Scannable Resume

Immer mehr Firmen und private Arbeitsvermittler gehen dazu über, Lebensläufe von Bewerbern einzuscannen, d.h. elektronisch abzuspeichern. Zur technischen Vorgehensweise: Ein ausgedrucktes *Resume* (in Form eines Faxes, einer ausgedruckten E-Mail oder einer verschickten Unterlage) wird auf ein Lesegerät gelegt, welches das Papier mit einer OCR-Software nach Schlüsselbegriffen durchsucht und diese dann neben den persönlichen Daten abspeichert. Sind für die Stellenvergabe bestimmte Anforderungen zu erfüllen, dann gleicht die Datenbank die gesuchten Qualifikationen mit den vorhandenen Bewerberprofilen ab. Auf diese Weise können schnell passende Kandidaten gefunden werden, zumindest was die fachlichen Aspekte betrifft. Dieses Verfahren hat sich zumindest in den USA schon relativ weit durchgesetzt. Deshalb sollten Sie, wenn Sie sich in die USA bewerben, bei Ihrem Sondierungsgespräch erfragen, ob ein solches System eingesetzt wird. Für diesen Fall lohnt es sich, sein *Resume* ein wenig anders aufzubauen, damit der Computer unmißverständlich mit den richtigen Schlagworten gefüttert wird. Will man Ihren *CV* einscannen, sollten Sie unbedingt folgendes beachten:

- benutzen Sie unbedingt weißes Papier
- bedrucken Sie dieses nur einseitig
- am besten als Laserausdruck in einem klaren, schnörkellosen, gut lesbaren, klassischen Schriftbild, bei dem das »r« nicht den nächsten Buchstaben berührt und somit vom Scanner fälschlicherweise als »n« interpretiert werden kann (Times New Roman, Helvetica, Futura o.ä.)
- Schriftgröße mindestens 10 Punkt
- für Überschriften können Sie fette Schriftzeichen, Großbuchstaben oder einen größeren Schriftgrad wählen
- halten Sie das Design des Lebenslaufes möglichst einfach
- Name und Anschrift gehören oben auf jede Seite des *CV*. Schreiben Sie Ihre Adreßangaben entweder untereinander oder aber mit genügend Zwischenraum (ca. vier bis sechs Leerzeichen)
- den Lebenslauf nicht heften oder lochen

Scanner sind darauf programmiert nach aufgelisteten Begriffen zu suchen. Sie erkennen keine Beschreibungen. Von moderner Software werden nicht nur fachliche Qualifikationen wie z.B. »MBA, Retail, Sales, Customer Services, Microsoft Office 97, C++, Unix, Member of Yachts International etc.« erkannt. Es lohnt sich auch, »weiche« Schlüsselbegriffe wie *outgoing personality*, *teamplayer*, *self-motivated* anzugeben. Bezüglich der fachlichen Qualifikationen gilt es, möglichst viele und eindeutige Begriffe aufzuführen, denn Ihr Ziel ist es, daß Ihre Bewerbung einem bestimmten gewünschten Stellenprofil in der Datenbank zugeordnet wird. Es hat sich sehr bewährt, unter einer einleitenden Überschrift wie etwa »Skills Summary« die wichtigsten Schlüsselbegriffe aufzulisten. Im folgenden finden Sie zwei amerikanische *Resumes*, ein gutes (*scannable*) und ein schlechtes (*non-scannable*).

Amerikanisch

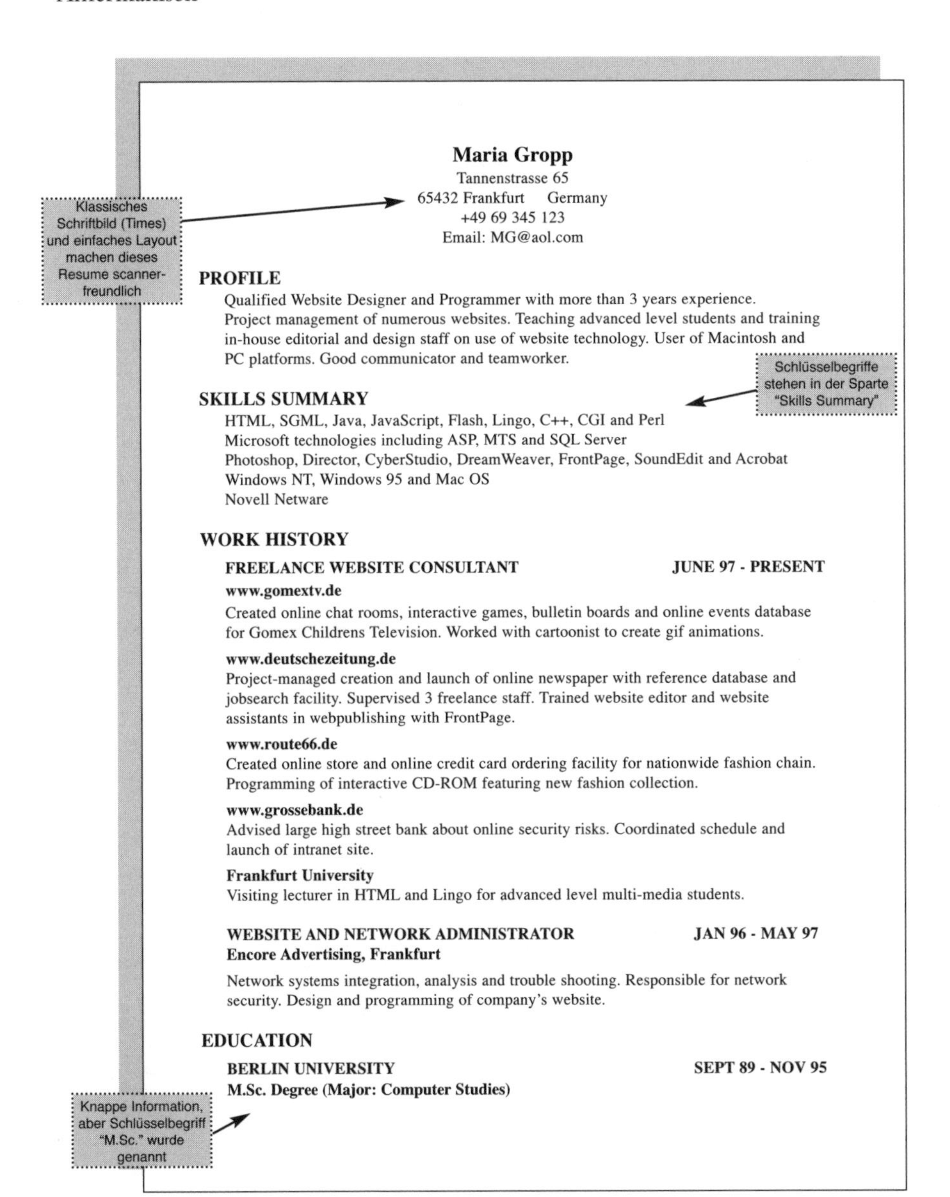

Maria Gropp
Tannenstrasse 65
65432 Frankfurt Germany
+49 69 345 123
Email: MG@aol.com

PROFILE

Qualified Website Designer and Programmer with more than 3 years experience. Project management of numerous websites. Teaching advanced level students and training in-house editorial and design staff on use of website technology. User of Macintosh and PC platforms. Good communicator and teamworker.

SKILLS SUMMARY

HTML, SGML, Java, JavaScript, Flash, Lingo, C++, CGI and Perl
Microsoft technologies including ASP, MTS and SQL Server
Photoshop, Director, CyberStudio, DreamWeaver, FrontPage, SoundEdit and Acrobat
Windows NT, Windows 95 and Mac OS
Novell Netware

WORK HISTORY

FREELANCE WEBSITE CONSULTANT **JUNE 97 - PRESENT**

www.gomextv.de
Created online chat rooms, interactive games, bulletin boards and online events database for Gomex Childrens Television. Worked with cartoonist to create gif animations.

www.deutschezeitung.de
Project-managed creation and launch of online newspaper with reference database and jobsearch facility. Supervised 3 freelance staff. Trained website editor and website assistants in webpublishing with FrontPage.

www.route66.de
Created online store and online credit card ordering facility for nationwide fashion chain. Programming of interactive CD-ROM featuring new fashion collection.

www.grossebank.de
Advised large high street bank about online security risks. Coordinated schedule and launch of intranet site.

Frankfurt University
Visiting lecturer in HTML and Lingo for advanced level multi-media students.

WEBSITE AND NETWORK ADMINISTRATOR **JAN 96 - MAY 97**
Encore Advertising, Frankfurt

Network systems integration, analysis and trouble shooting. Responsible for network security. Design and programming of company's website.

EDUCATION

BERLIN UNIVERSITY **SEPT 89 - NOV 95**
M.Sc. Degree (Major: Computer Studies)

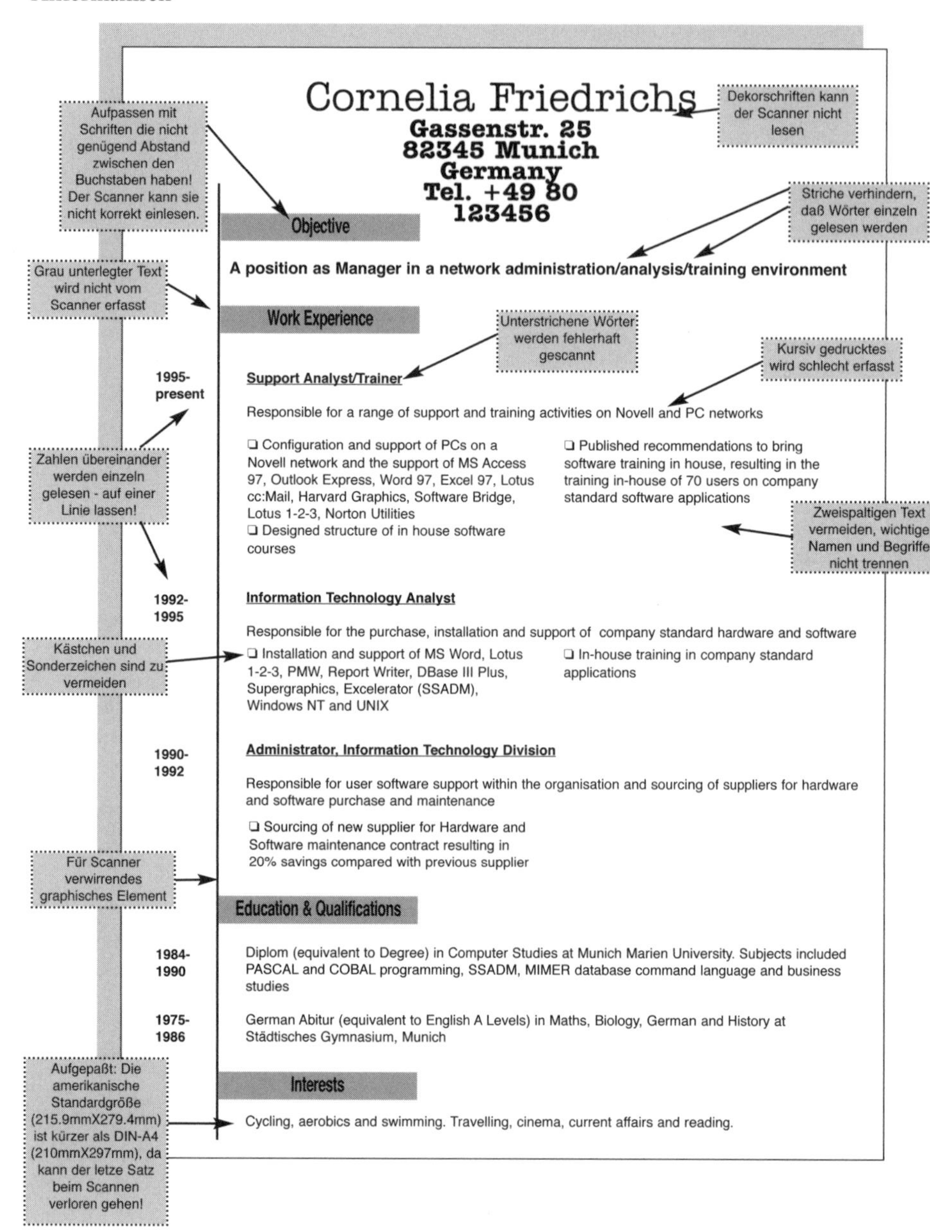
Cornelia Friedrichs
Gassenstr. 25
82345 Munich
Germany
Tel. +49 80
123456
Objective
A position as Manager in a network administration/analysis/training environment
Work Experience
1995-
present
Support Analyst/Trainer
Responsible for a range of support and training activities on Novell and PC networks
❑ Configuration and support of PCs on a Novell network and the support of MS Access 97, Outlook Express, Word 97, Excel 97, Lotus cc:Mail, Harvard Graphics, Software Bridge, Lotus 1-2-3, Norton Utilities
❑ Designed structure of in house software courses
❑ Published recommendations to bring software training in house, resulting in the training in-house of 70 users on company standard software applications
1992-
1995
Information Technology Analyst
Responsible for the purchase, installation and support of company standard hardware and software
❑ Installation and support of MS Word, Lotus 1-2-3, PMW, Report Writer, DBase III Plus, Supergraphics, Excelerator (SSADM), Windows NT and UNIX
❑ In-house training in company standard applications
1990-
1992
Administrator, Information Technology Division
Responsible for user software support within the organisation and sourcing of suppliers for hardware and software purchase and maintenance
❑ Sourcing of new supplier for Hardware and Software maintenance contract resulting in 20% savings compared with previous supplier
Education & Qualifications
1984-
1990
Diplom (equivalent to Degree) in Computer Studies at Munich Marien University. Subjects included PASCAL and COBAL programming, SSADM, MIMER database command language and business studies
1975-
1986
German Abitur (equivalent to English A Levels) in Maths, Biology, German and History at Städtisches Gymnasium, Munich
Interests
Cycling, aerobics and swimming. Travelling, cinema, current affairs and reading.
Aufpassen mit Schriften die nicht genügend Abstand zwischen den Buchstaben haben! Der Scanner kann sie nicht korrekt einlesen.
Dekorschriften kann der Scanner nicht lesen
Striche verhindern, daß Wörter einzeln gelesen werden
Grau unterlegter Text wird nicht vom Scanner erfasst
Unterstrichene Wörter werden fehlerhaft gescannt
Kursiv gedrucktes wird schlecht erfasst
Zahlen übereinander werden einzeln gelesen - auf einer Linie lassen!
Zweispaltigen Text vermeiden, wichtige Namen und Begriffe nicht trennen
Kästchen und Sonderzeichen sind zu vermeiden
Für Scanner verwirrendes graphisches Element
Aufgepaßt: Die amerikanische Standardgröße (215.9mmX279.4mm) ist kürzer als DIN-A4 (210mmX297mm), da kann der letze Satz beim Scannen verloren gehen!

Kurzprofil: *Skills Resume*

Das Verschicken von Serien-Kurzprofilen als Initiativ- oder Blindbewerbung ist hierzulande immer noch weit verbreitet. Wie wir bereits gezeigt haben, ist der übliche Weg der Kontaktaufnahme im anglo-amerikanischen Raum ein Sondierungsgespräch mit dem potentiellen Arbeitgeber und das anschließende Versenden der Unterlagen. Dieses Verfahren ist sehr effektiv, aber auch relativ zeit- und kostenaufwendig. Um möglichst viele Kontakte mit wenig Arbeitsaufwand zu erreichen, versuchen einige Kandidaten auch im anglo-amerikanischen Raum die Kontaktaufnahme per Kurzprofil. Dieses Vorgehen ist allerdings nur in seltenen Fällen erfolgsversprechend, nämlich nur dann, wenn der Bewerber besonders gesuchte und seltene Fähigkeiten (z.B. mehrere Jahre Berufserfahrung in einzelnen Softwarebereichen) anbieten kann. Hier dient das Kurzprofil dazu, den Arbeitgeber oder -vermittler aufmerksam zu machen, welcher wiederum bei Interesse seinerseits den Kontakt mit dem Bewerber suchen wird. Auf Verlangen wird dann ein ausführlicher *CV* geschickt oder aber ein Bewerberbogen ausgefüllt. Das Kurzprofil sollte sämtliche *key skills* enthalten, es sollte auf jeden Fall scanfähig und nicht länger als eine Seite sein. Hat man eine eigene Homepage, dann bietet sich ein Verweis darauf an.

Das Bewerbungsformular: *Application Form*

Wer sich auf Stellenausschreibungen im Internet bewirbt, wird mit Bewerbungsbögen schon vertraut sein. Auch viele der hiesigen Großunternehmen verlangen das Ausfüllen von Bewerbungsbögen für eine Einstellung. Im anglo-amerikanischen Raum sind sie allerdings noch etwas weiter verbreitet, speziell in den USA wird kaum ein Job ohne das Ausfüllen eines Bewerbungsformulars vergeben. In Großbritannien werden *Application Forms* vor allem im öffentlichen Bereich und bei karitativen Organisationen eingesetzt. Oft liegt dem Formular eine Anleitung zum Ausfüllen bei, sowie ein weiteres Blatt, das alle gewünschten *Skills* und die *Experience* beschreibt, die der ideale Kandidat für die zu besetzende Stelle mitbringen sollte. Es ist wichtig, beim Ausfüllen des Formulars auf jedes einzelne dieser Kriterien, auch die weichen Faktoren, einzugehen und zu beschreiben, wie man es erfüllt oder bereits erfüllt hat. Haben Sie einem Unternehmen schon Ihren *CV* zur Verfügung gestellt, und erhalten Sie zusätzlich die Aufforderung, ein Formular auszufüllen, so kann dies mehrere Gründe haben: Die Vergleichbarkeit der unterschiedlichen Kandidaten wird verbessert, manchmal handelt es sich auch einfach um Auswüchse von Bürokratie (»It has always been like this …«).

Ausfüllen

Die *Application Forms* sind auf den ersten Blick oft unübersichtlich und schaffen gerade einem ausländischen Bewerber einige Probleme. Man sollte sich also entsprechend gründlich mit diesen Formularen auseinandersetzen und beim Ausfüllen mit ähnlicher oder sogar größerer Sorgfalt vorgehen als beim Verfassen der schriftlichen Unterlagen. Am besten, Sie vervielfältigen das Formular und füllen dieses zur Probe aus. Wenn alles stimmt, können Sie dann das Original sauber und ordentlich ausfüllen. Das verhindert zumindest die sehr unschönen Durchstreichereien. Ist etwas unklar, sollte man unbedingt beim Arbeitgeber nachhaken. Bei Fragen, die nicht zutreffen, können Sie entweder einen Strich machen oder aber »not applicable« schreiben.

Gehaltsvorstellungen sollten, wenn möglich, nicht angeben werden. Hier bietet es sich an zu schreiben »salary negotiable«. Ansonsten kann man eventuell eine Gehaltsspanne nennen, aber auch das ist nicht einfach, da im anglo-amerikanischen Raum in der Regel über Gehalt und Zusatzleistungen (Kranken- und Altersversicherung, Umzugskosten etc.) verhandelt wird (sog. *packages*).

Besonders kniffligen Fragen kann man mit der Formulierung »will discuss during Interview« ausweichen, aber selbstverständlich sollte das eine Ausnahme sein.

Zu Gesundheitsfragen schreiben Sie »excellent health« und machen keine weiteren Angaben. Bei kleinen Wehwehchen kann man sich auch auf »good health« beschränken.

Hier zeigen wir Ihnen als Beispiel ein bereits ausgefülltes *Application Form* eines britischen Arbeitgebers, an dem Sie sich orientieren können. Auch wenn die Formulare regelmäßig unterschiedlich aufgebaut sind – inhaltlich sind sie meist sehr ähnlich.

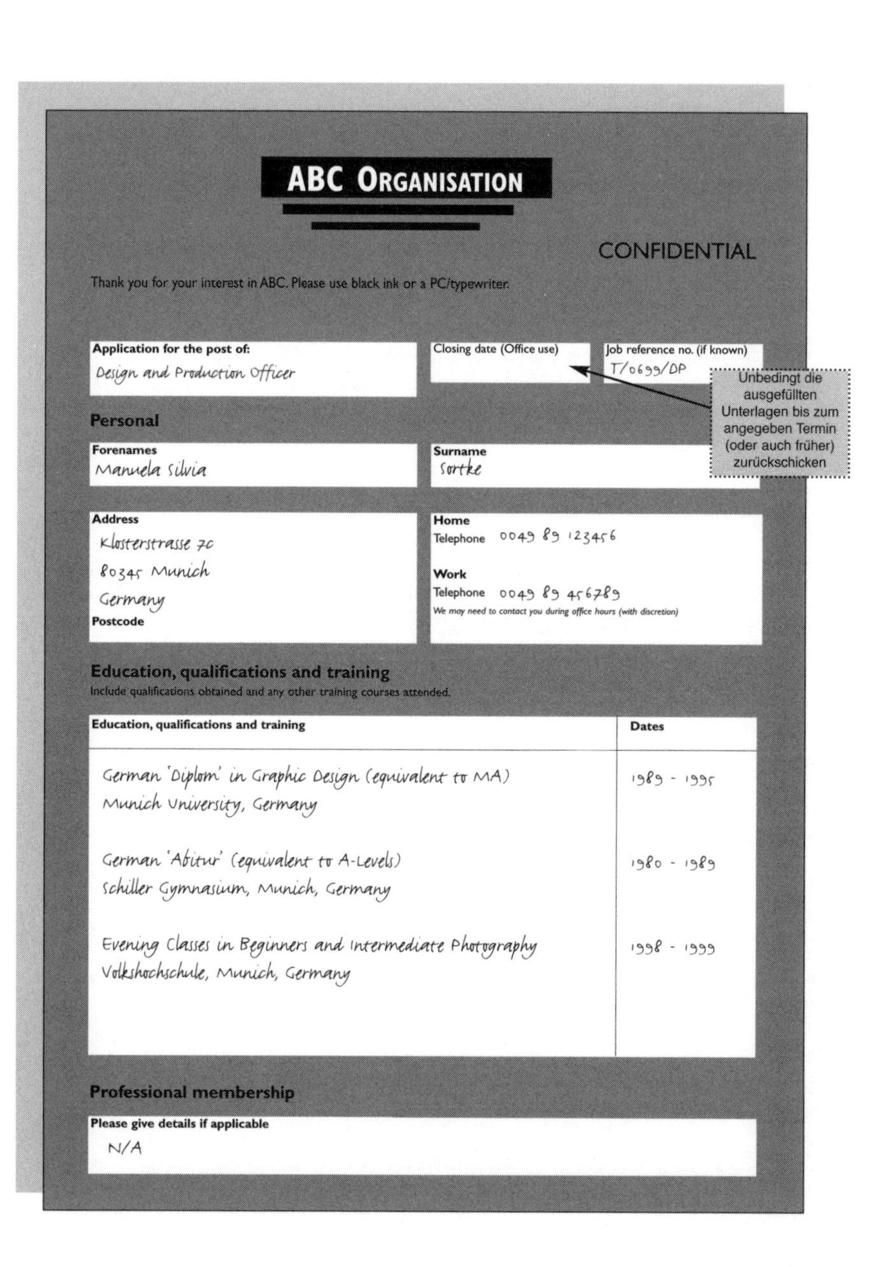

ABC ORGANISATION

CONFIDENTIAL

Thank you for your interest in ABC. Please use black ink or a PC/typewriter.

Application for the post of:	Closing date (Office use)	Job reference no. (if known)
Design and Production Officer		T/0699/DP

Personal

Forenames	Surname
Manuela Silvia	Sortke

Address	Home Telephone 0049 89 123456
Klosterstrasse 7c 80345 Munich Germany	Work Telephone 0049 89 456789
Postcode	*We may need to contact you during office hours (with discretion)*

Education, qualifications and training

Include qualifications obtained and any other training courses attended.

Education, qualifications and training	Dates
German 'Diplom' in Graphic Design (equivalent to MA) Munich University, Germany	1989 - 1995
German 'Abitur' (equivalent to A-Levels) Schiller Gymnasium, Munich, Germany	1980 - 1989
Evening Classes in Beginners and Intermediate Photography Volkshochschule, Munich, Germany	1998 - 1999

Professional membership

Please give details if applicable

N/A

Employment history
Current or most recent employment

Employer	Job title
Anytown Council, Germany	Graphic Designer

From (month, year) / To (month, year)	Salary & benefits
July 1997 to present	£18,000 per annum plus pension

Summary of duties

Designing brochures, adverts, leaflets, forms, stationary and posters. Overseeing work from briefing through to final printing. Often working within a very small budget, mainly using Apple Mac computers. Some training of other staff in use of Apple Mac and software. Projects include: Designing a range of forms for internal use, a promotional pack for the 1000 year Celebration of Anytown and a series of posters promoting the use of public transport.

Reason for leaving

N/A

Previous employment

Dates month, year – month, year	Job title with a brief explanation	Employer
May 1996 - June 1997	Graphic Designer -various different projects including corporate identities, newsletters, leaflets and posters. Clients included Yoyo Toys, Munich Theatre, Gilching Primary School and Fazit Public Relations.	Freelance
June 1995 - April 1996	Junior Designer -layouts for the magazines 'Banking Today', 'Girl Power' and 'Puzzles and Games'. Design of advertising for special promotions and input of advertisements in the classified section.	Alpha Publishing, Marienstrasse 17 80234 Munich

Dies ist der wichtigste Teil des Formblattes. Hier gehen Sie auf die einzelnen, für die angestrebte Position nötigen Erfahrungen und Qualifikationen ein. Oft ist eine "Person Specification", eine Auflistung von Attributen, die ein Bewerber vorweisen soll, dem Bewerberbogen beigefügt. Ganz wichtig ist, daß Sie auf **alle** in dieser Liste oder in einer Stellenanzeige genannten Aufforderungen, auch auf die weichen Kriterien wie Teamfähigkeit etc eingehen und möglichst mit konkreten Beispielen belegen, wie Sie diesen gerecht werden. Wenn der Platz hier nicht ausreicht, müssen die Ausführungen auf weiteren Seiten fortgesetzt werden (bitte Name und Seitennummer nicht vergessen).

Experience, skills and knowledge

This is a vital part of the application.

Please read the enclosed Person Specification and guidance notes carefully before completing this section.

Use each numbered requirement in the Person Specification as a heading and demonstrate how you meet the requirement by giving details of your experience, skills and knowledge gained in employment, voluntary work or elsewhere. Address points in the order they appear in the Person Specification.

No.	Experience, skills and knowledge
1)	Degree or Higher National Diploma in design or equivalent I have a Degree in Graphic Design.
2)	3 years experience of design and production Since leaving University I have had over 3 years experience of working within a design environment. Whilst working freelance and at Anytown Council I had to see most projects through from client briefing to final artwork and printing. My knowledge covers mono, two-colour and full colour (CMYK) print and I have also used different print processes such as litho, web and digital printing.
3)	Able to use design software including Quark Xpress and Pagemaker I have been using Quark Xpress and Pagemaker for 5 years and have good knowledge of Apple Macintosh programmes Photoshop and Illustrator. I have also used Microtek, Epson and Umax scanning equipment.
4)	Organisational skills and maintaining backup filing system on disc Especially whilst working at Anytown Council it is important to keep a rigorous filing system as several staff use the same computer and some projects have to be accessed quickly by different people. I gained excellent organisational skills whilst working freelance as I had sole responsibility for the whole job, including scheduling, designing, print, delivery and payment.
5)	To meet deadlines/work under pressure Most projects I have worked on have had tight deadlines, especially working at Alpha Publishing where some magazines were weekly titles. I can stay calm under pressure and am used to changes being made at the last minute.
	Please see continuation sheets

References

Please give details of at least two referees who are able to comment on your work ability. One referee should be your current or most recent employer. References must cover the last three years of employment.

Name Hildegard Schmidt
Work name & address
Anytown Council
Anytown High Street
23456 Anytown, Germany
Postcode
Telephone 0049 2345 123545
Fax 0049 2345 4567890

Relationship of referee to you
Ms Schmidt is my line Manager in my current position
May we contact this referee before interview? Yes ☐ No ☑

Name Karin Schulz
Work name & address
Alpha Publishing
Marienstrasse 17
80234 Munich, Germany
Postcode
Telephone 0049 89 123545
Fax 0049 89 4567890

Relationship of referee to you
Ms Schulz was my line manager at Alpha Publishing
May we contact this referee before interview? Yes ☐ No ☑

Criminal Convictions

The type of job you are applying for affects which criminal convictions you need to disclose. Declaring a conviction will not prevent you from being considered for a post. You do not need to declare minor motoring offences unless the Person Specification includes driving as a requirement.

If the job you are applying for is a residential or care position, the nature of this type of post means that it is exempt from the terms of the Rehabilitation of Offenders Act and you are therefore required to disclose all criminal convictions including those which are 'spent'. The Person Specification will tell you if this applies to the post. For all other positions you need only declare those offences which are not 'spent' under the Act.

Do you have any criminal convictions you need to disclose? Yes ☐ No ☑
If you have ticked 'Yes' above, please declare convictions sealed in an envelope marked 'Personnel Officer, Private & Confidential, Addressee Only'.

Finally

If you are not a member of the European Community, do you require a work permit? Yes ☐ No ☐ N/A

If you were appointed, when would you be able to take up the post? 6 weeks notice required (possibly negotiable)

Where did you see the job advertised? The Times

Please tell us if there is anything we need to know in order to provide you with a fair interview, e. g. sign language interpreter, lipspeaker, speech-to-text operator, wheelchair-accessible interview room, etc. N/A

We should appreciate your completing the attached Equal Opportunities Monitoring Form and returning it to us. Appointments are subject to acceptable references and may be subject to a satisfactory medical report from a medical practitioner appointed by ABC. Applicants selected for interview will be informed within six weeks of the closing date. If you have not heard from us within this period, it will be because we have decided not to take your application any further. If you would like us to acknowledge your application, please include a stamped addressed envelope.

I confirm that the information on this form is correct. I understand that false or misleading information or failure to disclose a conviction as defined above, may lead to dismissal. I also understand that the information may be entered onto a computer and under the terms and conditions of the Data Protection Act will be treated in a secure and confidential manner.

Signed Manuela Sortke
Date 9/5/99

Please return this form to Personnel at the address shown on the covering letter. Please contact Personnel or the person on the covering letter if you have any questions about the job or application process.

ABC is working towards Equal Opportunities.

ABC ORGANISATION

Equal Opportunities monitoring form

ABC is working towards equal opportunities. It aims to ensure that all job applicants and employees receive equal treatment regardless of age, deafness, disability, ethnic origin, gender, HIV/AIDS antibody status, marital status, race, religion, responsibility for dependants, union activity or sexual orientation.

ABC commits itself to remove discrimination from all its operations and to take positive action to promote equal opportunities. There shall be no unlawful discrimination in employment opportunities, pay or other conditions of employment, training and development, appraisal, promotion, placement or termination.

ABC commits itself to implement and keep under review its policies, procedures and practices to ensure that all employees are treated in accordance with its Equal Opportunities Policy.

ABC will regularly review this policy and take all necessary steps to ensure that all staff and members of the ABC are advised on all aspects of equal opportunities. All vacancies are advertised internally and externally.

The following information will be treated as confidential and we would appreciate your cooperation in helping us monitor the effectiveness of our Equal Opportunities Policy. Your application will not be affected by the information provided and will be separated from your application form on receipt.

Application for the post of:

Gender & Age

Male ☐ Female ☐ Age ☐ Date of Birth ☐

Ethnic Origin

Tick the classification which would best describe your ethnic origin. This term refers to different racial groups and not to your nationality, country of birth or religious affiliations. If you feel that you do not fall within these categories, please indicate under 'Any other...' what you consider to be your ethnic origin.

White	☐	Black Other (Please describe)	☐	______
Irish	☐	Chinese	☐	
Indian	☐	Pakistani	☐	
Black Caribbean	☐	Bangladeshi	☐	
Black African	☐	Any other ethnic group (Please describe)	☐	______

Disability

Please tick the box that best desctibes your disability

Disabled ☐ Registered disabled ☐

5. Das Verschicken der Unterlagen

Da man sich im gesamten englischsprachigen Raum nicht mit einer Mappe, sondern in der Regel nur mit einem *CV/Resume* bewirbt, ist das Verschicken der Unterlagen wesentlich einfacher und auch kostengünstiger als bei uns. Es ist dort nicht üblich, Bewerbungsunterlagen wieder an den Absender zurückzuschicken. Die Unterlagen landen nach der Begutachtung entweder im Papierkorb, werden eingescannt oder archiviert. Wie bereits dargestellt, ist es insbesondere beim Kontakt mit Arbeitsvermittlungsagenturen üblich, Bewerbungen per E-Mail oder Fax zu versenden. In diesem Fall sollte man seine Unterlagen parallel auch per Post verschicken, denn eine gut gestaltete Bewerbung auf Papier ist die ansprechendere und optisch überzeugendere Präsentationsform. Hier ist der kreative Spielraum durch die Wahl des Papiers, der Schrift oder des Layouts am größten. Folglich sollte man sich auf attraktive Stellenangebote, bei denen man mit einer Vielzahl von Mitbewerbern rechnen muß, eher per Post als per E-Mail oder Fax bewerben. Auf der anderen Seite braucht ein Brief in die USA bis zu einer Woche und eine E-Mail nur wenige Sekunden. Und falls der Lebenslauf als Word-Dokument an die E-Mail angehängt werden kann, eröffnen sich auch auf dem elektronischen Weg umfangreiche gestalterische Möglichkeiten. Welcher Weg für Sie der beste und effektivste ist, sollten Sie deshalb für den konkreten Fall entscheiden.

☺ Für diverse Anstellungen kann es von Vorteil sein, aus dem Ausland zu kommen, denn dies weckt u.U. das Interesse des Personalers. Oftmals ist es aber auch hinderlich für die Jobsuche. An dieser Stelle noch einmal der schon oben beschriebene Tip, damit Sie nicht gleich in der Kategorie »Exotische Ausländer« und damit im Papierkorb landen: Falls es Ihnen möglich ist, bemühen Sie sich um eine lokale Adresse bei Freunden oder Verwandten und geben Sie diese in der Bewerbung an. Unglaubwürdig wird ein solches Vorgehen, wenn der Personaler die Unterlagen mit deutscher Briefmarke oder Telefon- und Faxnummer auf den Tisch bekommt.

Per E-Mail

Grundsätzlich gibt es zwei Möglichkeiten, seine Bewerbung per E-Mail zu verschicken.

Entweder in der E-Mail selbst, also als ASCII-Text oder als eigene Datei, an die E-Mail angehängt (Attachment). Der Vorteil des ersten Verfahrens liegt darin, daß jeder Empfänger unabhängig von benutzten Programmen und Software die Unterlagen lesen kann. Leider hat man bei diesem Verfahren nur einen geringen gestalterischen Spielraum. Hier ist die E-Mail mit Attachment im Vorteil.

Bei beiden Verfahren ist folgendes zu beachten: Die E-Mail sollte immer an die persönliche Adresse des Personalbearbeiters gerichtet sein oder, falls nicht vorhanden, an die E-Mail-Adresse der Abteilung. Es ist, speziell bei großen Unternehmen, unbedingt zu vermeiden, die E-Mail an eine allgemeine E-Mail-Addresse zu schicken. Es müßte schon ein Wunder geschehen, damit die Bewerbung doch noch den richtigen Adressaten erreicht.

Um die E-Mail-Adressen der Ansprechpartner in größeren Unternehmen herauszufinden, stehen Ihnen verschiedene Suchmaschinen zur Verfügung.

- WhoWhere People Finder
  http://www.whowhere.com
- Internet Address Finder
  http://www.iaf.net
- Yahoo! People Search
  http://www.four11.com

Die E-Mail sollte auf jeden Fall in der Subject- oder Betreffzeile eine eindeutige Beschreibung Ihres Anliegens sowie den Namen des Ansprechpartners enthalten.

Beispiel: »Job application - Internal Sales Representative – Ms Molly Roberts«

Der Aufbau der Bewerbungs-E-Mail ähnelt dem Schema, das Sie bereits für *Covering Letter* und *CV/Resume* auf Papier kennengelernt haben. Nach einer persönlichen Anrede folgt eine kurze und knappe Darstellung des Anliegens und der Person des Bewerbers. Dieser Abschnitt entspricht dem *Covering Letter* und sollte auf jeden Fall als ASCII-Text innerhalb der E-Mail geschrieben werden. Dieser dem Anschreiben entsprechende Teil muß den Personaler neugierig machen, sich entweder den *CV* als ASCII-Text durchzulesen oder aber das Attachment zu öffnen. Die eigene Adresse mit Telefonnummer und E-Mail-Adresse muß im Anschreiben und auch im *CV* angeben werden, dabei kann man diese Daten, im Gegensatz zum Bewerbungsschreiben, am Anfang oder am Ende plazieren. Eine eigene Homepage sollte selbstverständlich in der E-Mail erwähnt werden, dies entbindet Sie aber nicht von der Pflicht, ein kurzes und deutliches Profil Ihrer Person zu erstellen.

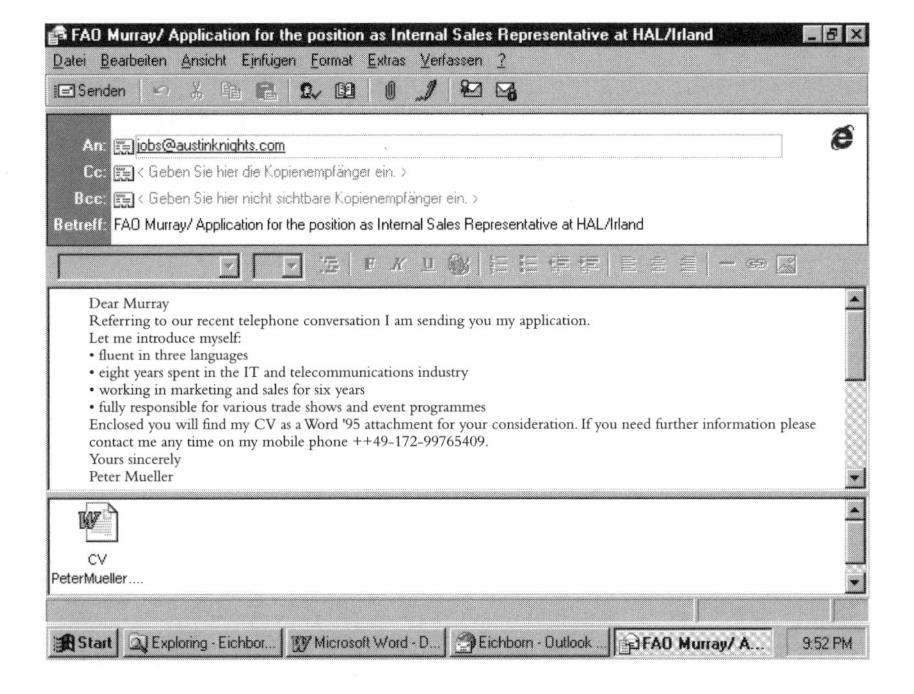

FAO Murray/ Application for the position as Internal Sales Representative at HAL/Irland

Datei Bearbeiten Ansicht Einfügen Format Extras Verfassen ?

Senden

An: jobs@austinknights.com

Cc: < Geben Sie hier die Kopienempfänger ein. >

Bcc: < Geben Sie hier nicht sichtbare Kopienempfänger ein. >

Betreff: FAO Murray/ Application for the position as Internal Sales Representative at HAL/Irland

Dear Murray
Referring to our recent telephone conversation I am sending you my application.
Let me introduce myself:
- fluent in three languages
- eight years spent in the IT and telecommunications industry
- working in marketing and sales for six years
- fully responsible for various trade shows and event programmes

Enclosed you will find my CV as a Word '95 attachment for your consideration. If you need further information please contact me any time on my mobile phone ++49-172-99765409.
Yours sincerely
Peter Mueller

CV
PeterMueller....

Start | Exploring - Eichbor... | Microsoft Word - D... | Eichborn - Outlook ... | FAO Murray/ A... | 9:52 PM

Falls die Bewerbung als optimal gestaltete Text-Datei versendet werden soll, muß man wissen, welches Textverarbeitungsprogramm der Ansprechpartner benutzt. In der Regel benutzen 80-90% aller Büros ein MS-Word Textprogramm oder haben zumindest direkten Zugriff auf ein solches und können in diesem Format abgespeicherte Dokumente lesen. Am sichersten ist das Speicherformat MS-Word '95 (Version 6.0), es kann sowohl von älteren als auch von neueren Versionen erkannt und gelesen werden (MS-Word '97 und 2000 sind nicht abwärts kompatibel).

Man sollte aber auf keinen Fall einfach davon ausgehen, daß der Ansprechpartner dieses Text-Format öffnen kann, dafür kursieren zu viele unterschiedliche nicht-kompatible Programme. Deshalb ist beim Sondierungstelefonat auf jeden Fall zu erfragen, welche Textverabeitung benutzt wird. So kann das Mißgeschick vermieden werden, daß der Personaler das Dokument nicht lesen kann. Bitte scannen Sie kein Foto ein und sorgen Sie dafür, daß das gesamte Attachment nicht wesentlich größer als 50 Kilobyte ist. Verschicken Sie das Dokument unkomprimiert. Achtung Apple Macintosh Benutzer! Oft ist ein auf Macintosh in Word erstelltes Dokument auf einem PC nicht lesbar (insbesondere unter Windows NT). Umgekehrt ist es auf dem Macintosh meist möglich, ein PC-Dokument zu öffnen.

Per Post

CV und *Covering Letter* (auch die US-Variante mit der kleinen Mappe) werden einfach gefaltet in einen C5-Umschlag oder ungefaltet in einen A4-Umschlag gesteckt. Dieser muß natürlich ausreichend frankiert sein. Solange der Brief nicht zu dick wird (eine Seite Anschreiben und max. zwei Seiten Lebenslauf), kann die Bewerbung in einem C6-(1/3 DIN-A3)-Umschlag versandt werden.

Die Empfängeradresse sollte sehr ordentlich per Hand, oder noch besser mit dem Drucker auf den Briefumschlag geschrieben werden, und denken Sie auch an die Länderangabe. Noch schöner und repräsentativer kann es aussehen, wenn man eigenes Briefpapier mit Briefkopf und Absenderzeile in einem Umschlag mit Fenster verschickt. Briefumschlag und Papier müssen zusammenpassen und von guter Qualität sein. Bunte und schöne deutsche Sondermarken lenken die Aufmerksamkeit des Empfängers auf den Umschlag.

☺ Beim Versenden von Blind- oder Initativbewerbungen kann man mit dem Zusatz »confidential« (persönlich) auf dem Briefumschlag die Wahrscheinlichkeit erhöhen, daß die Bewerbung auch wirklich auf dem richtigen Schreibtisch landet.

Per Fax

Die Bewerbung per Fax eignet sich besonders bei privaten Arbeitsvermittlern und in Branchen, in denen ein potentieller Mangel an Kandidaten herrscht, wie z.B. weltweit in den Bereichen IT/EDV oder in England und Irland an deutschsprachigem Verkaufspersonal, Übersetzern oder Supportangestellten. Soll es schnell gehen oder interessiert sich ein Personaler spontan für einen Kandidaten, so kann man schon bei einem Sondierungstelefonat aufgefordert werden, die Unterlagen zuzufaxen. Sie können in diesem Fall einen vorher vorbereiteten Compliment Slip als *Covering Letter* benutzen (s.o. S. 51). Darauf notieren Sie bitte den Ansprechpartner, zu dessen Händen die Unterlagen weitergeleitet werden sollen, das Datum und die Anzahl der folgenden Seiten. Da das Layout von gefaxten Unterlagen häufig sehr zu wünschen übrig läßt, sollten die Bewerbungsunterlagen parallel zum Fax auch per Post verschickt werden.

☺ Beim Faxen sollte man unbedingt darauf achten, daß jedes Blatt einzeln eingelegt wird. Auf diese Weise können Fehler beim Empfang vermieden werden, wie z.B. falsche Seitenumbrüche oder die berüchtigte Endlosmessage.

6. Nachhaken und präsent bleiben

Im anglo-amerikanischen Raum muß man nach dem Verschicken der Unterlagen unbedingt präsent bleiben. Damit bezeugt man Motivation und Professionalität. Bei einem Telefonat spätestens drei oder vier Tage nach Versendung der Bewerbungsunterlagen sollte nachgefragt werden, ob die Unterlagen auch wirklich angekommen sind, ob eventuell noch Unklarheiten bestehen oder noch weitere Informationen vonnöten sind, wo man als Bewerber steht, wie die Chancen aussehen etc. Ohne das Sondierungstelefonat und das Nachhaken sind die Chancen, einen interessanten Arbeitsplatz im Ausland zu bekommen, fast gleich Null. Dies gilt speziell dann, wenn mit inländischer Konkurrenz zu rechnen ist.

Auf dieses wichtige Telefonat sollten Sie sich gut vorbereiten. Sprechen Sie nicht zu aufdringlich, aber auch nicht unterwürfig, nicht zu laut, aber auch nicht mit zu leiser Stimme. Es lohnt sich, dieses Gespräch schriftlich vorzubereiten und mit Freunden durchzuspielen, um im entscheidenden Moment nicht allzusehr ins Stocken zu geraten. Kleine sprachliche Probleme und Patzer werden gerne verziehen – größere Pausen, in denen man um Worte ringt, sind jedoch sehr unerfreulich, denn auch englischsprachige Entscheidungsträger haben nur sehr selten Zeit und Geduld, einem stockenden Gespräch zu folgen.

Achten Sie auf die Stimmung am anderen Ende der Leitung. Bei einem gereizten »Yes« nach der Vorstellung (»my name is...«) sollte man einem negativen aufdringlichen Eindruck vorbeugen und schnellstens die Frage stellen, ob der Anruf ungelegen kommt.

Beispiel: »Is it an inconvenient time for you to talk? Is it better if I call you in an hours' time or tomorrow?«

Bekommt man Zeit, sein Anliegen vorzutragen, dann sollte dies nun schnell und präzise passieren. Jetzt zeigt sich, wie gut die Vorbereitung war.

Beispiel: »That's great. I am calling to find out if you received the job-application I sent you a few days ago ...«

7. Das Vorstellungsgespräch: *Interview*

Nachdem Sie mit den Bewerbungsunterlagen erfolgreich waren und zu einem Vorstellungsgespräch eingeladen worden sind, fängt die wichtigste Bewerbungsphase an, in der die Entscheidung über Ihre Einstellung fällt. Die Bewerbungsunterlagen waren die notwendige Vorarbeit.

Die Vorbereitung

Bei Bewerbungen ins Ausland wird das erste Vorstellungsgespräch zumeist über das Telefon oder bei großen Firmen auch per Videokonferenz durchgeführt. Erst in der zweiten oder dritten Runde wird der Kandidat in eine inländische Filiale gebeten oder fliegt zum persönlichen Gespräch ins Ausland. Bereitet man sich auf Videokonferenz-*Interviews* genauso vor wie auf persönliche Gespräche, so sieht die Vorbereitung auf ein telefonisches *Interview* schon etwas anders aus, da sich am Telefon die gesamte Kommunikation auf die Sprache reduziert. Hier kann man nicht mit Mimik, Gestik, Kleidung, Auftreten etc. sprachliche Unsicherheiten überspielen.

Auch diese Situation kann man mit Freunden oder mit einem Kassettenrekorder üben. Beim telefonischen Gespräch ist wichtig, daß Sie deutlich und langsam reden. Hören Sie genau zu, was der andere sagt, fallen Sie ihm nicht ins Wort und antworten Sie nicht überhastet. Benutzen Sie einfache und klare Worte. Es passiert leicht, daß man sich in zu schwierigen Sätzen verhaspelt, die dann am Ende doch keinen Sinn machen und dadurch einen unreifen Eindruck vermitteln. Eine neben dem Telefon liegende Liste mit Anfangsfloskeln und einigen wichtigen Fragen kann sehr beruhigend wirken. Erwarten Sie einen Anruf, dann sollten Sie Ihren Anrufbeantworter entsprechend vorbereiten. Auch Telefon-*Interviews* folgen in der Regel dem weiter unten aufgeführten Gesprächsablauf (s.S. 149).

In der Regel dauert ein Vostellungsgespräch, sei es bei einer Agentur oder in einem Unternehmen, eine halbe bis zwei Stunden, manchmal aber auch einen ganzen Tag. Gerät man in ein Assessment Center, dann kann die Auslese auch leicht mehrere Tage dauern.

Üblicherweise gibt es mehrere *Interview*-Runden. Während man in der ersten

Runde noch zahlreiche Konkurrenten hat, sind es in der zweiten Runde meist schon weniger als zehn und in einer eventuellen dritten Runde nie mehr als eine Handvoll Mitbewerber. Jede Firma hat ihre eigene Art Vorstellungsgespräche durchzuführen. Regelmäßig steigt der Aufwand bei Vorstellungsgesprächen mit der Größe des Unternehmens. Manchmal wird ein Gremium eingesetzt, in anderen Fällen werden Einzel- oder Gruppengespräche durchgeführt. Immer seltener werden Streßgespräche, in denen der Bewerber durch einen unfreundlichen oder fordernden Ton unter Druck gesetzt wird oder ihm schier unlösbare Aufgaben gestellt werden.*

Um diese Prüfung erfolgreich zu meistern, ist auch hier eine gründliche Vorbereitung von einigen Tagen erforderlich. Je interessanter und wichtiger die angestrebte Position, desto intensiver sollte die Vorbereitung ausfallen. Dazu gehört:

- Informationen über das Unternehmen und den oder die Gesprächspartner sammeln
- Informationen über den möglichen Ablauf des Gesprächs sammeln
- Kommunikationsziele für das *Interview* festlegen
- sich auf unbequeme und schwierige Fragen vorbereiten
- sich selbst intelligente Fragen zurechtlegen
- ein offenes und sympathisches Auftreten üben
- Unterlagen vorbereiten
- sich auf eventuelle Tests vorbereiten
- Kleidung auswählen
- das äußere Erscheinungsbild optimieren (Friseur, Fitness, Sonnenbank etc.)

Ebenso wie für das Verfassen der Bewerbungsunterlagen kommt auch in dieser Bewerbungsphase dem Sammeln von Informationen über das Unternehmen und über die Personen, auf die man im Gespräch treffen wird, eine zentrale Bedeutung zu. Erst auf der Grundlage dieser Informationen können Sie intelligente Fragen stellen, detailliert Ihr Mitwirkungspotential am Unternehmenserfolg darstellen und damit das Interesse Ihres Gegenübers gewinnen. Sie zeigen, daß Sie Ihre Hausaufgaben gemacht haben, stellen damit Kompetenz und Motivation unter Beweis und erarbeiten sich so einen Vorsprung vor den Mitbewerbern.

* Durch solche Gespräche will man die Fähigkeiten eines Kandidaten testen, unter Druck produktiv zu agieren oder zu arbeiten.

Interessante Informationen über das Unternehmen können sein: Größe, Umsatz, angebotene Produkte, Ankündigungen, Marktneuheiten, Marktanteile, Filialen, Firmengründer etc. Wo stehen die Konkurrenten? Wie sieht das Entwicklungspotential der Branche oder des Unternehmens aus? Um an Informationen über das Unternehmen zu gelangen, bietet sich wiederum als erste Informationsquelle ein intensives Studium der firmeneigenen Homepage an. Auch der Besuch von online-Nachschlagewerken lohnt sich, z.B. für die USA http://www.thomasregister.com (hier kann man als Gast kostenlos suchen) oder http://www.hoovers.com/careersmain.html.

Unerläßlich ist es, selbst beim Unternehmen anzurufen und möglichst viele Detail-Informationen zu erfragen. Während dieses Informationsgespräches sollten Sie sich auch über Kleinigkeiten Notizen machen. Alle Details, die nicht aus der Einladung hervorgehen, sind von Interesse: Wer wird mich interviewen? (Schwierige Namen buchstabieren lassen!) Wie viele Personen werden es sein? Welche Positionen haben die einzelnen Personen? In welcher Reihenfolge spreche ich mit ihnen oder werden mich verschiedene Personen gemeinsam interviewen? Sind auch andere Kandidaten anwesend? Gibt es Tests? Und so weiter. In größeren Unternehmen kann man sich auch mit der Abteilung Öffentlichkeitsarbeit (*Public Relations, Press Office, Media Relations*) verbinden lassen und nach einem Pressebericht etwa für die Uni-Zeitung o.ä. fragen. Daneben kann man sich einen Geschäftsbericht (*annual report*) oder einen Produkt-/Verkaufs-/Servicekatalog zuschicken lassen.

Auch Informationen über den Gesprächspartner sind sehr wichtig, wie z.B.: Ist er Fan eines bestimmten Sportvereins, welche Hobbys hat er, welchen Führungsstil? Viele dieser Informationen kann man schlecht am Telefon erfragen. Vielleicht kennt man aber jemanden, der jemanden kennt, der wiederum jemanden kennt ..., der den Gesprächspartner kennt (Stichwort *networking*, s.S. 36). Hier bieten sich die Newsforen im Internet an, wobei diese Informationen aufgrund Ihres subjektiven Gehalts nicht unreflektiert übernommen werden sollten.

Ihre Bewerbungsunterlagen und fachlichen Qualifikationen sind zwar die Basis für ein erfolgreiches Vorstellungsgespräch – eingestellt werden Sie jedoch regelmäßig aufgrund Ihrer Persönlichkeitsmerkmale. Das mag viele erstaunen, doch bei Einstellungsentscheidungen über Berufseinsteiger bis hin zu Fach- und Führungskräften ist das weitaus wichtigste Kriterium die Persönlichkeit des Bewerbers und nicht die fachliche Kompetenz. Wissenschaftliche Untersuchungen belegen, daß bei Einstellungen im Bereich Führungskräfte zu über 80% persönliche Kriterien entscheiden. Grundvoraussetzung für die positive Beurteilung Ihrer Persönlichkeit ist das Vorhandensein von Sympathien, die Sie während des Gesprächs gezielt aufbauen sollten. Ähnlich wie in der Liebe geht es im Prinzip nur darum, den Gesprächspartner »in sich verliebt« zu machen. Hier ist es vor allen Dingen der erste Eindruck, der zählt. In fast allen Fällen entsteht Sympathie innerhalb der ersten Minuten eines Gespräches oder aber gar nicht mehr.

Um eine positive und produktive Einstellung zum Gesprächspartner aufbauen zu können, ist es zunächst wichtig zu erkennen, daß der Interviewer einen komplizierten Job hat. Es ist ungeheuer schwierig, eine Person innerhalb kürzester Zeit zutreffend zu beurteilen. Ein Personaler schwebt permanent in der Gefahr, eine falsche Entscheidung zu treffen, und oft lastet auf ihm ein gewaltiger Erfolgs- und Zeitdruck. Kandidaten, die nur ihr eigenes Bewerbungsziel sehen, also zu bestehen und sich gegen die Konkurrenz durchzusetzen, erkennen nur einen Teil der Situation. Ein Bewerber, der dagegen einmal über den eigenen Tellerrand schaut, der hilfreich, verständig und kooperativ ist, zeigt Kompetenz und erleichtert seinem Gegenüber die Arbeit. Dadurch kann eine sehr angenehme Atmosphäre und nicht selten eine »Win-Win«-Konstellation entstehen. Beide Parteien ziehen den größtmöglichen Nutzen aus dem Gespräch, beste Voraussetzung für eine Einstellung.

Eine Bewertung erfolgt oft intuitiv auf Gefühlsebene. Ein Partner wird regelmäßig dann als sympathisch eingestuft, wenn er positive Werte verkörpert, wie:

- Freundlichkeit
- Motivation
- Kompetenz
- Interesse
- Offenheit und Vertrauen
- Geduld, Gelassenheit und Toleranz
- Selbstbewußtsein
- Gewandtheit
- Positive Lebenseinstellung
- Gesunde Selbsteinschätzung
- Intelligenz etc.
- Höflichkeit

Regelmäßig kann vorhandene Sympathie durch Identifizierungsprozesse noch weiter gesteigert werden, wenn z.B. die gleichen oder ähnliche Hobbys, dieselbe regionale Herkunft, die Leidenschaft für einen Fußballclub oder ein Formel-1-Team dazukommen. Auch um solch persönliche Informationen sollten Sie sich daher im Vorfeld bemühen.

Wie gesagt: Sympathien sind der Schlüssel zum Erfolg und damit zum Arbeitsvertrag. Allerdings gelingt es nicht immer, den Gesprächspartner »in sich verliebt« zu machen. Auch der beste Verkäufer kann nicht immer zum Geschäftsabschluß kommen. Es gibt einfach Menschen, zu denen man keinen Draht findet. Manchmal wird dem Bewerber auch während eines *Interviews* klar: »Dies ist nicht der richtige Arbeitgeber für mich«. Es kann ja sein, daß man vom zukünftigen Vorgesetzten interviewt wird und sich dabei so unwohl fühlt, daß man sich nicht vorstellen kann, unter dieser Person zu arbeiten. **Beide** Parteien haben das Recht zu sagen, daß sie nicht mit der anderen Seite zusammenarbeiten möchten.

☺ Wenn man von mehreren Personen interviewt wird, sollte man sich die am wenigsten sympathische auswählen und für sich zu gewinnen versuchen. Mit dieser Methode kann man sich der Sympathie aller Anwesenden sicher sein.

Besonders wichtig für den Aufbau von Sympathien ist das äußere Erscheinungsbild. Neben Körpersprache, Sprechweise, Lautstärke etc. fließt vor allen Dingen das optische Auftreten in den Bewertungsprozeß mit ein.

Im anglo-amerikanischen Raum wird auf Dresscodes wesentlich stärker geachtet als bei uns. Sollten Sie sich für eine Position vorstellen, in der Sie in der Öffentlichkeit arbeiten, z. B. im Bankwesen, in der Beratung oder im weitesten Sinne im Kundendienst: Scheuen Sie sich nicht, zum Dreiteiler zu greifen, auch wenn es altmodisch anmutet. Das Kostüm der Dame in gedeckten Farben und klassisch streng geschnitten sollte maximal eine Handbreit Bein über dem Knie zeigen. Auch ein klassischer Hosenanzug ist angebracht.

Denken Sie in Ruhe über Kombinationen nach! Hemd oder Bluse, Strümpfe oder Nylons sollten nicht nur zum Anzug bzw. Kostüm, sondern auch zum restlichen Erscheinungsbild passen. Frauen sollten nie, und sei es noch so heiß, nacktes Bein zeigen, auch sollte man Dekolletés mit zu tiefen Einblicken vermeiden. Die Schuhe sollten gepflegt, bei der Dame nicht zu hochhackig, auf keinen Fall aber »bequeme Treter« sein. Elektrostatische Aufladung, z.B. durch Gummisohlen auf Teppichböden, kann zu unangenehm knisternden Erlebnissen bei der Begrüßung führen.

Viele Entscheidungsträger achten auch heute noch besonders auf das Schuhwerk, und daher sollten diese unbedingt das Outfit passend abschließen. Unser Tip: Lieber ein nicht ganz brandneues, aber gepflegtes Paar aussuchen.

Die angemessenen Accessoires nicht vergessen: Eine stilvolle, gut gebundene Krawatte ist ein Muß, die passende Handtasche kann immer noch beeindrucken. Die Aufbewahrung Ihrer Unterlagen in einer repräsentativen Akten- oder Collegemappe gilt als eine Selbstverständlichkeit.

Zum Thema Körperpflege: Glatt rasiert zu erscheinen ist fast immer vorteilhafter, es sei denn, Ihr Bart ist sehr gepflegt, Frauen sollten auf perfekt rasierte Beine und Armausschnitte achten.

Daß man am Vortag auf Knoblauch, Kohl und Alkohol verzichten sollte versteht sich von selbst, aber auch die Baldriantropfen zur Beruhigung bestehen fast nur aus Alkohol!

Gravierende Unterschiede zwischen den einzelnen Nationen in bezug auf Businesskleidung gibt es kaum: Die Briten sind eher etwas lockerer als die Amerikaner, Australierinnen tragen aufgrund der gefährlichen Sonnenstrahlung eher hochgeschlossene Kleider, in Kalifornien und Florida darf es sicher etwas farbenfroher sein als in Washington D.C. Amerikaner lieben auch ein offenes Lächeln, also kann manchmal sogar ein Zahnarztbesuch zur Vorbereitung eines wichtigen Vorstellungsgesprächs gehören.

Zusätzliches auf der Checkliste:

- evtl. eine Maniküre
- keine auffälligen Nagellacke auftragen
- die Frisur muß »krisensicher« sein
- dezentes Make-up
- Schmuck: besser weniger als mehr. Die Herren sollten Ihre Ohrringe zu Hause lassen und vielleicht eher zu den Manschettenknöpfen greifen
- Alles sollte tadellos sitzen und ausreichend Bewegungsspielraum bieten

Handelt es sich um ein Interview im eher kreativen Umfeld, kann es sich lohnen, durch gezielte Spionage zu erfragen, ob sich dies auch in der Kleidung der Mitarbeiter niederschlägt. Dann liegt es bei Ihnen, sich zu entscheiden, inwieweit Sie persönliche Glanzlichter setzen möchten. Aber auch hier würden wir zur Sparsamkeit raten.

☺ Um sich selbst besser beurteilen zu können, kann man ein oder mehrere Probe-

Vorstellungsgespräche mit einem Bekannten durchführen und diese *Interviews* mit einer Videokamera aufnehmen. Diese Methode ist zwar aufwendig, aber durch Verständnis und realistische Selbst-Beurteilung kann man sich sehr viel besser auf ein wirkliches Gespräch vorbereiten.

Für den Fall, daß es beim ersten Gespräch noch nicht geklappt hat, seien Sie nicht allzu frustriert. Es ist noch kein Meister vom Himmel gefallen, erst die Übung macht denselben. Der Aufwand für die Vorbereitung ist keinesfalls verschenkt. Beim zweiten Versuch profitiert man von seinen Erfahrungen, die Vorbereitungszeit wird kürzer, man ist weniger aufgeregt und kann schon lockerer in das Gespräch gehen.

Der Gesprächsablauf

Der Ablauf eines Vorstellungsgesprächs ist je nach Firma unterschiedlich. Zumeist wird man sich bei den Gesprächen aber an das folgende Grundmuster halten:

- Begrüßung und Aufwärmphase (5–20 Minuten)
- Informationsphase über Motivation, Persönlichkeit, fachliches Können etc. des Bewerbers (10–X Minuten)
- Informationsphase über das Unternehmen, den Arbeitsplatz, die Arbeitsbedingungen etc. (5–20 Minuten)
- Schlußphase mit Verhandlung von Gehalt und Arbeitskonditionen (5-10 Minuten; oft noch nicht im ersten *Interview*)

Wie schon gesagt: Ein Vorstellungsgespräch ist immer ein Verkaufsgespräch, deshalb kann und sollte man sich auf ein solches Gespräch gut vorbereiten. Daß die Informationssuche für ein erfolgreiches *Interview* unerläßlich ist, haben Sie bereits gesehen. Als nächsten Schritt sollten Sie sich nun intensiv mit Ihrer eigenen Position auseinandersetzen. Dabei geht es insbesondere um folgende Punkte:

- Was sind meine Stärken und Schwächen?
- Welche Fähigkeiten und Persönlichkeitsmerkmale heben mich von der Konkurrenz ab?
- Welche Ziele verfolge ich im *Interview*?
- Wie kann ich herausfinden, welche Bedürfnisse das Unternehmen hat?

- Wie kann ich dem Gesprächspartner meinen möglichen Lösungsbeitrag zu anfallenden Aufgaben im Unternehmen klar und überzeugend vermitteln?
- Welche Informationen möchte ich über das Unternehmen, Vorgesetzte, Arbeitsstelle, Aufgabengebiet, Verantwortung etc. bekommen?

Begrüßung und Aufwärmphase

Das *Interview* beginnt zumeist mit einem herzlichen, nicht zu harten und vor allen Dingen nicht zu weichen Händedruck. Da im Ausland manchmal dem Händedruck eine andere Bedeutung als bei uns zukommt, sollte man dem Gesprächspartner die Initiative überlassen. Gleichzeitig sollte man den oder die Gesprächspartner sofort mit einem offenen Lächeln für sich gewinnen. Dabei ist es wichtig zu wissen, daß das Lächeln für Anglo-Amerikaner eine etwas andere Bedeutung hat als bei uns. Die Menschen dort sind sehr viel aufgeschlossener und freundlicher im Umgang miteinander, und das freundliche Gesicht gehört zum guten Ton, so wie bei uns das Händeschütteln als Begrüßungsgeste. Wenn Sie nicht lächeln, wird man Sie schnell als unfreundlich und unsympathisch einstufen.

Gleich zu Beginn stellt sich die Frage nach der korrekten Anrede. Durch das fehlende »Sie« im Englischen spricht man sich fast immer, auch im *Interview*, mit dem Vornamen an. Es gibt aber auch Ausnahmen von dieser Regel, und so sollte man auch hier abwarten und sich nach dem Gesprächspartner richten. Fällt die Wahl auf die Anrede mit Nachnamen, dann muß der Bewerber selbstverständlich die gleiche Form wählen. So kann eine einleitende Frage beispielsweise lauten: »Paul, did you find our offices alright?« oder aber auch »Mr Bishop, did you find our offices alright?« Ist man sich unsicher, kann man auch nach der adäquaten Anrede fragen – am besten mit einem offenen Lächeln. Schließlich ist man kein Muttersprachler und weniger vertraut mit den Gepflogenheiten des Landes. Im angloamerikanischen Raum kann man fast alle Fragen – außer offensichtlich plumpe und dumme – stellen, ohne daß man negativ aus dem Rahmen fällt. Man sollte seine Fragen locker, höflich, offen und doch bestimmt äußern. Vor allem in den USA, aber auch in anderen englischsprachigen Ländern, tritt man viel selbstbewußter auf als wir es gewohnt sind. Gerade in Großbritannien wird auf korrektes »Gentlemen-Benehmen« großen Wert gelegt, z.B. Damen den Vortritt lassen, Türen aufhalten und in den Mantel helfen. Stilloses Benehmen gilt oft als unverzeihlich und kann Sie genauso den Job kosten wie mangelndes Fachwissen. Lassen Sie sich nicht durch Klischees und Vorurteile gegenüber Deutschen, Österreichern oder Schweizern provozieren.

Die ersten Minuten eines Vorstellungsgespräches dienen, von Streßinterviews einmal abgesehen, in der Regel der Entspannung und Einleitung. In dieser Phase sollten beide Parteien etwa gleich viel reden. Gesprächsinhalte können der Anfahrtsweg, das Wetter oder ähnliche Belanglosigkeiten sein. Wichtig ist nicht unbedingt, was Sie antworten, sondern wie Sie antworten, wie Sie sich bewegen, Ihre Stimmlage, Ihr Auftreten etc. (Sympathie, s.o.). Gänzlich falsch ist es, auf eine belanglose erste Frage mit einer zu kurzen oder aber auch zu langen Antwort zu reagieren.

Beispiel: Frage: »How did you find your way to our company?«
Antwortvariante 1: »That was OK.«
Antwortvariante 2: »Oh I had a terrific start but then I missed my turning at the first traffic light in Brompton, got on the wrong motorway and then I had to take the exit to Devonport where I got totally lost ...«.
Antwortvariante 3 ist schon passender:
»I had no problems finding my way to this office. The description was very accurate and your map was really helpful.«

Nach diesem Satz sollten Sie bloß nicht verstummen, sondern das Angebot des Interviewers zum Smalltalk annehmen und in ein, zwei kurzen Sätzen erzählen, was am Gebäude, der Gegend etc. aufgefallen ist. Der Gesprächsball kann auch wieder an den *Interview*-Partner zurückgespielt werden, das macht einen guten Eindruck, und nun können Sie Ihrerseits etwas über Ihren Gesprächspartner erfahren.

Beispiel: »It really is a very nice building. I think the architect did a marvellous job. It all looks so new, when was it built?«

Unklug ist es, sich über die Personalabteilung herzumachen, die mit einer schlechten Wegbeschreibung die Anreise komplizierte. Am klügsten greift man zur Notlüge und bleibt sehr höflich und freundlich. Arbeitet man später in der Firma, kann man immer noch auf die schlechte Wegbeschreibung aufmerksam machen.

Befragung des Bewerbers

Nach dem gegenseitigen Kennenlernen ist der Personaler in der daraufolgenden Phase des Gesprächs vor allen Dingen bemüht

- fachliche Informationen über den Kandidaten zu erhalten und
- das Bild der Charaktereigenschaften (*interpersonal skills*) zu verfeinern und zu bestätigen.

Auch in dieser Phase sollten die Parteien interagieren, wobei hier regelmäßig der Beitrag des Kandidaten zum Gesprächsfluß etwas größer ist und etwa bei ca. 65-80% liegen wird. Ein noch höherer Gesprächsanteil ist, von wenigen Ausnahmen abgesehen, zu vermeiden. Ebenso unklug ist es, die Position der Gesprächsleitung zu übernehmen. Um diese Phase erfolgreich zu meistern, ist es vor allen Dingen wichtig, auf knifflige Fragen, die Rückschlüsse auf die Persönlichkeit erlauben sollen, intelligente Antworten parat zu haben und auch sein fachliches Können und bisher Erreichtes eindrucksvoll darzustellen. Für den Gesprächspartner sind die fachlichen, im Vergleich zu den persönlichen Qualifikationen relativ einfach und schnell herauszufinden. Wichtig sind hier Ausbildung, Berufserfahrung und Berufserfolg. Durch die Unterschiede im Schul- und Ausbildungssystem besteht allerdings häufig ein gewisser Klärungsbedarf. Weitere Schwierigkeiten tauchen regelmäßig bei der *job description* auf (s.o.). Abhilfe schafft hier nur eine detaillierte Schilderung der Aufgaben und Verantwortlichkeiten, und auch besondere oder gar außergewöhnliche Leistungen sollten nicht vergessen werden.

Eignungstests, als Auswahlkriterium für fachliche Qualifikation und Persönlichkeit von Bewerbern, sind im anglo-amerikanischen Raum unterschiedlich weit verbreitet. Insbesondere in größeren Unternehmen werden **Assessment Center** durchgeführt, aber auch im Mittelstand sind sie hin und wieder anzutreffen. Für diese oft mehrtägigen Auswahlverfahren wurden die unterschiedlichsten Testverfahren zur Unterstützung der Bewerberauslese entwickelt. Vor allem Intelligenz-, Leistungs-, Konzentrations- und Persönlichkeitstests sind als Auswahlinstrumente beliebt. Bei ausländischen Kandidaten werden sehr oft zusätzliche Sprachtests eingesetzt.

Es liegt nicht im Interesse eines Unternehmens, eventuelle Test-Strategien für potentielle Kandidaten publik zu machen. Hat man dennoch z.B. durch *networking* in Erfahrung gebracht, daß Tests ein Bestandteil des Bewerbungsprozederes sind, dann sollte man sich mit dieser Art von Tests vertraut machen, denn der eintretende Übungseffekt kann den entscheidenden Vorsprung vor der Konkurrenz ausmachen. Die Vorbereitung ist allerdings aufwendig und kann an dieser Stelle nicht weiter erörtert werden. Es gibt verschiedene Bücher, die sich mit diesem Thema auseinandersetzen und deren Lektüre sich lohnt. Empfehlenswert ist zum Beispiel: Hesse/Schrader, *Testtraining 2000* (Frankfurt: Eichborn, 1998). Englische Lektüre zum Thema kann zu US-Ladenpreisen und ohne zuzügliche Versandkosten unter http://www.amazon.de bestellt werden.

Um weitere Erkenntnisse über Charakterzüge, persönliche Eigenschaften und andere wesentliche Merkmale des Bewerbers zu sammeln, wird der Personaler zumeist Fragen stellen, von deren Beantwortung er auf bestimmte Sachverhalte oder Persönlichkeitsstrukturen schließen kann. Von besonderem Interesse sind hier Merkmale wie: Teamorientierung oder Individualität, Aggressivität im Auftreten oder Kreativität im Konsensfinden, die Fähigkeit zu delegieren, zu befehlen, zu motivieren etc. Um Ihre Reaktion auf diese Fragen zu testen, sollten Sie die häufigsten Fragen durchgehen und sich Antworten zurechtlegen. Es empfiehlt sich wiederum zur Selbstkontrolle der Einsatz eines Kassettenrekorders oder einer Videokamera. Man sollte auf alle Fragen maximal 60 Sekunden lang antworten und dies ruhig, selbstbeherrscht und mit nicht zu lauter Stimme tun.

Im folgenden finden Sie die gängigsten Fragen, auf die Sie in *Interviews* immer wieder treffen werden:

- Zur Persönlichkeit:

Frage: »Please introduce yourself/Tell me about yourself«

Diese Frage wird fast immer gestellt! Der Interviewer möchte Motivation, Reife, die Fähigkeit zu strukturiertem Argumentieren und Denken, Überzeugungskraft, aber auch Selbstbewußtsein testen. Wichtig ist, daß man hier nicht hektisch aus der frühen Jugend erzählt, sondern in kurzen, knappen und wohlüberlegen Sätzen darstellt, welche Ausbildung und/oder Studium man genossen hat und über welche, für die konkret angestrebte Position wichtigen Erfahrungen man verfügt. Bei der Beantwortung dieser Frage kann man das 60-Sekunden-Zeitlimit auch überschreiten.

Antwort: »Regarding this position the most important information you should know about me is...«

Frage: »Where do you see your strengths?/ Why should I hire you and not another candidate?«

Dies ist eine deutliche Aufforderung an Sie, sich dem Unternehmen zu verkaufen. Schildern Sie, über welche besonderen Fähigkeiten Sie verfügen, wo Sie diese schon unter Beweis stellen konnten und wie Sie diese bei der ausgeschriebenen Stelle einsetzen könnten. Bleiben Sie sachlich und belegen Sie Ihre Angaben durch Zahlen und überzeugende Fakten. Wirken Sie glaubwürdig und verweisen Sie nicht auf Schwächen von Mitmenschen.

Antwort: »I have strong sales skills. In my last position I increased sales in my department by 20% to $400.000 and was the leading Seller of the Month twice...«

Frage: »What are your weakest points?/Tell me about a failure?«

Es geht bei dieser Frage nicht darum, sich selber in ein schlechtes Licht zu rücken. Sie befinden sich auch nicht bei einem guten Freund oder Psychiater, dem Sie die tiefsten Abgründe Ihrer Seele auftun sollen. Der Personaler testet mit dieser Frage Ihre Fähigkeit, mit unangenehmen Situationen umzugehen, Ihre Selbsteinschätzung und auch die glaubwürdige Darstellung Ihrer Person. Sie können ruhig harmlose Schwächen nennen, die sich leicht ins positive verwandeln lassen.

Antwort: »When typing I sometimes spell words incorrectly but since I work with MS-Word and its marvellous spellcheck function that's no problem anymore.«
Oder auch eine kleine Anekdote erzählen:
Antwort: »Sometimes I am a bit too patient. Once I waited for three hours for a plumber to repair my sink. After a telephone call at the plumbing company it turned out that he was sent to repair the sink in the flat above...«
Oder: »I have a real weakness for spending too much money on clothes.«

Die Antwort »I don't have any weaknesses« ist legitim, Sie müssen aber mit dieser Provokation auf eventuelle Gegenreaktionen gefaßt sein.

Frage: »What kind of person are you?/How would a friend describe you?/ Describe your personality/your values.«

Bei diesen Fragen geht es vor allem darum, etwas über die Motivation und die Leistungsfähigkeit des Kandidaten herauszufinden. Welche Einstellung haben Sie zur Arbeit? Darüberhinaus soll der Bewerber im Hinblick auf die existierende Unternehmenskultur befragt werden (Überzeugungen, generelle Einstellungen, wie Sie behandelt werden wollen etc.). Beschreiben Sie sich kurz und präzise und setzen Sie Schwerpunkte dort, wo es Ihnen wirklich wichtig ist. Verstellen lohnt sich nicht.

Frage: »What hobbies do you have?/What do you do in your spare time?«

Wichtige Kriterien für den Personaler: Ist der Kandidat sportlich und gesund, teamfähig oder eher wettbewerbsorientiert, kann er sich entspannen etc. Vorsicht bei außergewöhnlichen oder mit extremer Leidenschaft betriebenen Hobbys.

Frage: »What is the worst thing in the world for you right now?/What do you dislike about others?«

Bei der Beantwortung dieser Fragen kann der Befrager wiederum Rückschlüsse auf die persönliche Einstellung des Kandidaten ziehen. Die Beurteilung anderer ist auch immer eine Aussage über den Urteilenden selbst. Sprechen Sie ein Problem gezielt an, verdeutlichen Sie die Komplexität, argumentieren Sie ausgewogen. Unklug wäre es, sich erhitzt über ein fundamentales Problem der Menschheit zu erregen oder sich über die Unzuverlässigkeit eines Freundes zu beklagen.

Frage: »What kind of people do you find it difficult to work for/with?«

Diese Fragen wird relativ häufig gestellt. Man möchte etwas über Ihr Konfliktlösungspotential im Umgang mit schwierigen oder Ihnen unsympathischen Menschen erfahren. Besonders wichtig ist die Antwort, wenn später viel im Team gearbeitet werden soll. Im Team findet man in der Regel immer einen oder zwei Charaktere, mit denen es nicht so gut klappt. Sie müssen an dieser Stelle wiederum keine Romane erzählen, sondern glaubwürdig wirken und zeigen, daß Sie sich im

Vorfeld Gedanken über für Sie problematische Mitmenschen machen. Bitte trennen Sie privates und geschäftliches Miteinander.

- Zu Ihren Karrierezielen:

Frage: »Why are you applying for a job with this company? Why do you want to work in this company?
What can you do for us? How will this company benefit from your work?
What job are you looking for? What attracts you most to this position? Describe your career objective!
What motivates you? What does success mean to you?
Where do you want to be in five years time?«

Orientieren Sie sich an Ihren Bedürfnissen, und seien Sie ein Verkäufer in eigener Sache, dann werden Sie wenig Schwierigkeiten mit der Beantwortung dieser Fragen haben. Stellen Sie sich ins rechte Licht, wirken Sie glaubwürdig und benutzen Sie keine zu starken Übertreibungen. Fakten und Zahlen sagen mehr als unpräzise Gefühlsäußerungen

Frage: »Are you willing to do overtime?«

Gern und oft gestellte Frage. Sie sollten diese nicht bedenkenlos bejahen, aber dennoch Bereitschaft erkennen lassen, sich für das Unternehmen zu engagieren.

Antwort: »If there is a need to do overtime because of a certain deadline or project, I am delighted to help. But I believe in the long run working late every day will not neccessarily increase someones productivity.«

- Zur letzten Anstellung/Position:

Frage: »Why do you want to leave/change positions?
What was the worst thing about your last position?
Describe your present company/role in the company!
How was your relationship with your last boss?
Will your last boss give you a reference and what will he/she say?«

Generell wird mit diesen Fragen die Loyalität geprüft. Falsch ist es, sich negativ über den früheren Chef oder Arbeitskollegen zu äußern.

Frage: »How much did you earn?«

Dieser Vergleich ist oft sehr problematisch, da im Ausland unterschiedliche Steuersysteme, Lohnniveaus etc. gelten. Eine konkrete Antwort und damit ein realistischer Verdienstvergleich erfordert intensive Recherche.

Antwort: »I earned a little more in Germany due to a different income and tax system ...«

- Zur Frage, warum Sie im Ausland arbeiten wollen:

Frage: »Why do you want to work abroad?
Will you not miss your family and friends?
Have you ever stayed abroad for a long time?
What happens if you cannot cope with our mentality/culture?
What happens if you get homesick?
Do you make friends easily?
How will you get a visa?
How long do you think you will need to settle down in this company/become productive?«

Wichtig bei all diesen Fragen ist es, daß Sie die Message klar rüberbringen: Ich will im Ausland arbeiten – aus welchen nachvollziehbaren Gründen auch immer – und ich bin den zusätzlichen Belastungen (sprachlicher, kultureller und sozialer Art) gewachsen.

Im *Interview* trifft man auch auf Fragen nach typischen Problemen im Heimatland:

Frage: »What do you think about Neo-Nazis? Are they a big problem in your country?
How do you like it without the wall?
Are there big changes since the wall came down?
Is it true that women are still not allowed to vote in Switzerland?«

Diese Fragen zeugen meist von Interesse an einer anderen Kultur. Nehmen Sie die Chance zur Interaktion wahr und stellen Sie Ihrerseits Fragen, die das politische oder kulturelle Leben des anderen Landes betreffen.

Antwort: »Yes there are major changes going on, people are so excited but also a little bit frustrated because those changes need a lot of time and money. Unfortunately the economy in Germany is not booming like in the USA. It is amazing that you created hundred's of thousands of new jobs within only a few years. Are they mostly created within the computer industry?«

- Zu Ausbildung, Schule und Universität:

Frage: »What courses did you like most at University – and why?
Describe your most rewarding experiences at University!
How is your education system organised?
What did you learn during your apprenticeship/training?
How did you learn English?«

Hier geht es vor allen Dingen darum zu zeigen, warum man bestimmte Schwerpunkte gesetzt hat und wie die erworbenen Fähigkeiten sinnvoll im Unternehmen eingesetzt werden können. Daneben müssen Sie auch wichtige Informationen und komplexe Zusammenhänge klar und präzise erklären können.

- Verbotene Fragen:

Im englischsprachigen Raum sind die meisten Anstellungen »equal opportunities«, und dies wird auch schon in den Stellenausschreibungen angekündigt. Der Arbeitgeber verpflichtet sich, ohne Berücksichtigung der Religionszugehörigkeit, Rasse oder des Geschlects etc. eine Auswahl der Bewerber vorzunehmen. Der Arbeitgeber darf im Bewerberbogen und auch während des *Interviews* keine unlauteren Fragen stellen. Verstößt ein Unternehmen gegen diese ethischen Regelungen, kann ein Bewerber im Extremfall das Unternehmen verklagen. Der Arbeitgeber muß bei groben Verstößen mit einer erheblichen Geldstrafe rechnen. Unerlaubte Fragen sind:

»Are you married?/Do you have children?/Are you planning to have children?/Tell me about your sexual preferences!/What do your parents do?/Do you smoke?«

Es ist unklug, auf verbotene Fragen plump mit der Bemerkung zu reagieren: »You are not allowed to ask this question«. Möchten Sie die Frage nicht beantworten, sollten Sie souverän und beherrscht eine höflichere, die Auskunft ablehnende Variante vorziehen.

Antwort: »I am highly motivated and really interested in this position and I would like to make it clear that I organise my personal life in a way that will not interfere at all with my business duties« oder: »I sometimes smoke in social situations, usually if I'm in a pub or at a party.«

Zusätzlich können während eines Vorstellungsgespräches auch kleine Aufgaben gestellt werden. Beispiele:

»Imagine this little square is a car – how would you sell it to me?
How would you solve this problem?
How would you increase sales?
If you had a marketing budget of $1 million how would you spend it?
How would you connect these two servers?
How would you translate this article? – etc.«

Wichtig ist: Bei allen Aufgaben ruhig und besonnen vorgehen! Sie sollten eine Lösungsstrategie anbieten, ruhig querdenken und auch auf Situationen in Ihrer Vergangenheit verweisen, wo Sie mit ähnlichen Problemen konfrontiert waren und diese gemeistert haben.

Antwort: »In my final thesis whilst studying business administration I wrote about the optimisation of marketing budgets.«

Informationsphase über das Unternehmen

Nachdem nun der Bewerber einer intensiven Befragung und auch eventuell unterschiedlichen Tests unterzogen wurde, gibt es in den meisten *Interviews* einen Rollenwechsel. Fast immer wird dieser Wechsel mit der Selbstdarstellung des Unternehmens, der offenen Position und den Arbeitsbedingungen eingeleitet. Diese Informationsphase, oft mit einem Rundgang im Unternehmen kombiniert, kann aber auch schon ganz am Anfang des Gesprächs stehen und dient dann an dieser Stelle dazu, die Nervosität des Bewerbers aufzufangen. Sie sollten dem Dargebrachten sehr viel Aufmerksamkeit schenken. Leichtfertige Unterbrechungen mit plumpen Fragen werfen hier schnell ein schlechtes Licht auf Sie.

Nach diesem Übergang kann nun der Bewerber Fragen stellen. Hier zahlt sich die eingangs erwähnte intensive Vorbereitung aus. Zeigen Sie, was Sie wissen! Nicht mit Erkundigungen zu Gehalt, Urlaub, Sozialleistungen oder Pausenregelung beginnen! Besser ist es, sinnvolle und intelligente Auskünfte zu Fragen einzuholen, die noch nicht geklärt wurden. Sie können hier wichtige Punkte sammeln, intelligent und motiviert wirken. Es ist im übrigen legitim, sich wesentliche Fragen im Vorfeld schriftlich zu notieren und die Notizen an dieser Stelle hervorzuholen, um die Fragen abzuarbeiten. Dieses Vorgehen vermittelt keineswegs einen Eindruck von Unsicherheit, sondern zeugt im Gegenteil von Motivation und guten organisatorischen Fähigkeiten. Fragen die Sie beispielsweise stellen können sind:

- How many people work in this office/company?
- Do you plan to open any new branches?
- Why is this position vacant?
- Do you have a job description for this position?
- What are, from your point of view, the key skills necessary for the successful candidate?
- Who is going to be my supervisor?
- To whom will I be reporting?
- How much responsibility will this position involve?
- Who are my team-colleagues? What is their responsibility/role?
- Is it possible to meet some of the people I will be working with in the future?
- How are the career prospects of this position within your company?
- What will the preparation for this position be like? Training-on-the-job? Courses?
- As I am very interested in developing my skills further, is there any training planned in the future for this position?
- I really like your new marketing campaign. Which agency developed the advertising/spots etc.
- I have heard that your competitors recently launched a new product which directly competes with your product. Are you afraid of loosing the leading position in the market?
- Do I have to relocate regularly? etc., etc.

Diese *Interview*-Phase gibt Ihnen darüber hinaus die Möglichkeit, ein Feedback vom Personaler zu bekommen. Redet man offen über den bisherigen Eindruck, dann kann man letzte Bedenken, Unklarheiten und auch Mißverständnisse aus dem Weg räumen und darüberhinaus ganz konkret und bewußt sein Profil vervollständigen. Dieses Vorgehen hat sich in der Praxis insbesondere bei Berufen bewährt, wo es besonders auf Agressivität und gelungene Selbstdarstellung ankommt (Sales, Marketing, Management, PR etc.).

Beispiel: »Ms Porter, I asked you earlier to specify your ideal candidate. Now that you have got an impression of me can you comment on whether I match your selection criteria? I feel that I would really fit into your organisation and could be a great asset to your company ...«

Auf diese direkte Frage bekommt man in der Regel eine recht direkte Antwort mit eventuell vorhandenen Bedenken, die man dann im einzelnen zerstreuen kann. Bekommt man keine eindeutige oder aber ausweichende Antwort, wie etwa: »I feel that you are fully capable of doing the job«, kann man zumindest in den USA und Australien, weniger in Großbritannien noch ein letztes Mal höflich um eine konkrete Position bitten. Danach muß man das Ausweichen des Partners akzeptieren, will man nicht unangenehm auffallen.

Schlußphase mit Arbeitskonditionen und Gehaltsverhandlung

Die Fragen nach Gehalt, Urlaub, Zusatzleistungen oder bezahlten Überstunden (meist werden sie nicht bezahlt) gehören ganz an den Schluß eines Vorstellungsgespräches. Ist klar, daß mehrere Gesprächsrunden vorgesehen sind, steht das Thema der Unternehmensleistungen zumeist erst in der zweiten Gesprächrunde zur tieferen Diskussion. Sie sollten in diesem Fall in der ersten Runde nicht unbedingt von sich aus darauf zu sprechen kommen. Zumeist wird aber das Unternehmen am Ende oder am Anfang des Gespräches generell darstellen, welche Leistungen angeboten werden.

Fragen nach Ihren Gehaltsvorstellungen oder auch nach dem letzten Gehalt können Sie entweder ausweichen oder, entsprechend vorbereitet, auch konkret beantworten. Allgemeine Informationen zu Sozialleistungen und Urlaub finden Sie weiter unten im Kapitel »Jobzusage und Arbeitsvertrag«, speziellere Informationen zu branchenüblichen Gehältern, Zusatzleistungen etc. findet man im Internet unter einigen der oben aufgeführten Adressen oder aber beim *networking* in den Newsgroups. Bei der Gehaltsfrage ist zu beachten, daß im anglo-amerikanischen Raum generell weniger Steuern bezahlt werden und auch die Sozialabgaben sehr viel geringer sind. Der Vergleich mit hierzulande gängigen Gehaltsvorstellungen ist sehr problematisch. Hier einige Antwortbeispiele:

- It is really difficult to compare German/Austrian/Swiss salary-levels with the United States. I am very interested in working for your company and I am pretty sure that we will come to a mutually beneficial agreement if we decide to work together. Do you also offer any other benefits in addition to the salary?
- I understand you offer a full package of benefits in addition to the actual salary. Maybe we could discuss this further if you decide to offer me the job?
- Regarding social security we are organised differently in Germany which means that I have to become familiar with your system first. Is it OK if we talk about this later?

Am Ende des Gespräches angelangt, hat man oft schon ein Gefühl dafür entwickelt ob man für die ausgeschriebene Position in Frage kommt, oder aber nicht. Erfolgreich ist der Furchtlose: Für eine Position, bei der es auf Biß ankommt (z.B. Sales) kann man in dieser Phase des *Interviews* schon konkret nach dem Job fragen, insbesonderere dann, wenn vom Arbeitgeber schon bestätigt wurde, daß er an einer Einstellung interessiert ist. In anderen Sparten sollte man auf jeden Fall am Ende des Gesprächs nochmals seine Motivation und Interesse an der Position ganz deutlich zum Ausdruck bringen. Fragen Sie nach dem weiteren Vorgehen. Es ist wichtig zu wissen, wann ein eventuelles zweites Gespräch stattfinden soll oder wann der voraussichtliche Arbeitsbeginn sein wird. Mit diesem Wissen können Sie Ihre weitere Arbeitsuche wesentlich besser koordinieren. Bedanken Sie sich für das Gespräch und auch für die Zeit, die man für Sie geopfert hat. Wie schon am Beginn des Gespräches sollte man die Initiative zum Händeschütteln dem Gegenüber überlassen.

Nach der erfolgreichen Vorstellung kommt nun die letzte Herausforderung, nämlich eine möglichst optimale Bezahlung auszuhandeln:

- I gathered quite a lot of information and think I have a good idea about this specific market. I came to the conclusion that a salary of around $35.000 plus benefits would be appropriate.

- Talking about benefits what I have heard is that most companies supply dental, health and life insurance, a company pension, a relocation package and I think share options are very common in your branch as well.
- I am really very interested in joining your company but this salary is below what other companies have already offered me.
- Thank you for this offer. Your package looks really good, especially the health coverage. I think my skills justify a higher salary as is reflected by other similar vacancies.
- OK, the salary could be a little bit higher and I would suggest we discuss this subject after my probationary period again. Since you offer excellent training facilities and as your compensation package, especially the share-option is very tempting, I would like to accept your offer.
- I am pretty happy about the salary and the packages you offer but since it is a very important decision I need to think about your offer and will get back to you in two days time.

Die ausgehandelten Konditionen sollten unbedingt schriftlich festgehalten und unterschrieben bestätigt werden (vgl. »Der Arbeitsvertrag«, S. 169).

Zusammenfassend noch einmal die wichtigsten Punkte zum *Interview*:
- Der erste Eindruck ist entscheidend – treten Sie offen und dynamisch mit einem freundlichen und gewinnenden Lächeln auf.
- Seien Sie entspannt
- Lächeln Sie viel
- Wirken Sie motiviert, dynamisch und aufgeschlossen
- Reden Sie nicht zu schnell/langsam, laut/leise oder monoton
- Ziehen Sie sich sorgfältig an und achten auch sonst auf Ihr Äußeres.
- Setzten Sie sich aufrecht auf den Stuhl
- Stellen Sie Augenkontakt her. Wenn Sie mehrere Personen gleichzeitig befragen, sollten Sie immer mit dem jeweiligen Fragenden Augenkontakt halten.
- Versetzen Sie sich in Ihr Gegenüber und erleichtern Sie dessen Arbeit.
- Präsentieren Sie die Fähigkeiten, die gebraucht werden
- Seien Sie gut auf schwierige Fragen vorbereitet und stellen Sie selber intelligente Fragen
- Bedanken Sie sich freundlich

- Wenn sie etwas nicht verstehen, bitten sie um Klärung
- Fragen Sie nach dem Job

Folgende Fehler sollten Sie in einem Vorstellungsgespräch vermeiden:
- Zu spät kommen
- Legere und ungepflegte Kleidung oder Erscheinen
- Besserwisserisches und agressives Auftreten
- Nervös und fahrig wirken (auch wenn man es ist!)
- Verhaltensauffälligkeiten wie z.B. permanentes Kratzen, Lippenbeißen, Beinewippen, auf dem Stuhl schaukeln etc.
- Kein klares Berufsziel haben, Schwächen und Stärken nicht formulieren können
- Zu leise, laut, zaghaft oder schüchtern sprechen
- Zu lange Antworten (Faustregel max. 60 Sekunden)
- Den Gesprächspartner nicht ausreden lassen
- Selber die Rolle des Moderators übernehmen
- Unmotiviert und uninteressiert wirken
- Schlecht über den jetzigen oder vorherigen Arbeitgeber sprechen
- Bei Kritik aufbrausen
- Zuviel über Gehalt und Zusatzleistungen sprechen

8. Das Dankesschreiben (*thank-you-note*) nach dem *Interview*

Das Verschicken einer *thank-you-note* nach einem Vorstellungsgespräch ist im gesamten englischsprachigen Raum üblich und speziell in den USA ein Muß! Ist man wirklich an einer Position interessiert, sollte man sich die wenige Mühe machen und ein kurzes Dankesschreiben formulieren, das man persönlich an den *Interview*-Partner richtet. Das Aufsetzen ist in der Regel unproblematisch, und man hebt sich mit diesem erneuten Kontakt positiv gegenüber seinen Konkurrenten ab. Versetzen Sie sich einmal in die Lage eines Personalers, der mehrere ähnlich qualifizierte Anwärter zur Auswahl hat. Wer bekommt den Job? Derjenige, der sich schriftlich und herzlich für ein *Interview* bedankt oder der von dem man nichts mehr hört?

Als Dankesschreiben reicht ein kurzer Brief, eine Postkarte (Vorderseite beachten!) oder auch eventuell eine E-Mail, die maximal 2–3 Tage nach dem Gespräch eintreffen sollte. Handschriftliche Dankesschreiben wirken persönlicher, man kann das Schreiben aber auch durchaus auf dem Computer erstellen. Selbstredend sollte dieser Brief mit großer Sorgfalt komponiert und fehlerfrei formuliert sein. Die *thank-you-note* eignet sich allerdings nicht, um noch fehlende Bewerbungsunterlagen nachzureichen, diese sollten besser separat verschickt werden!

☺ Ein Dankschreiben kann dazu genutzt werden, Fragen zu formulieren, die man im *Interview* vergessen hat. Stellt man intelligente Fragen, die darauf schließen, daß man sich mit dem Gespräch, den genannten Anforderungen und Aufgaben tiefergehend auseinandergesetzt hat, wird ein Personaler hier wirkliches Interesse an der ausgeschriebenen Position vermuten.

Peter Schneller
Maulkorballee 66
24435 Himmelsbühren
Tel: +49 431 123456

January 12, 2000

Mr. Booster
Westwood Publishing Ltd
1555 Broadway
New York, NY 12345

Dear Mr. Booster

Thank you for taking the time to discuss the position of an account executive with me yesterday. It was a pleasure meeting you and learning more about Westwood Publishing Ltd. During our meeting, you mentioned that you are planning to expand into the German market with your products. I have been talking with some friends in Germany familiar with your competitors and the market you are targetting. Since you have a few interesting unique selling points they see a great chance of being successful. I'd be happy to share my thoughts with you at any time.
Thank you again for your consideration. I look forward to hearing from you and the possibility of joining your staff.

Sincerely

Peter Schneller

Peter Schneller

7120 Wharfside Lane, Apt. # 17C
Indianoplis, IN 44231

April 30, 1999

J. Jemisson, Ph.D.
Henry Kissinger Hospital
Clinical Fellowship Program
Division of Physical Sciences and Rehabilitation
5436 East Grand Boulevard PPT-887
Cincinatti, CI 48205

Dear Dr. Jemisson

Thank you very much for meeting me on April 25th, regarding the pediatric fellowship position. It was a pleasure to get to know everybody in the department.

As stated in the interview, I have a keen interest in research and excellent writing ability. In addition, I bring with me a strong theoretical background and diverse clinical experiences. I am a highly motivated individual and enjoy working with people.

Again I would like to thank you for your consideration. I am looking forward to the results of the interviews.

Sincerely

Marianne Pohl

Marianne Pohl

9. Jobzusage und Arbeitsvertrag

Arbeitsverhältnisse

Genauso wie bei uns, gibt es auch im anglo-amerikanischen Raum verschiedene Arbeitsverhältnisse. Bekannt sind u.a. feste und freie Mitarbeit, Zeit- oder Leiharbeit. Die einzelnen Beschäftigungsverhältnisse unterscheiden sich insbesondere hinsichtlich des Gehaltes sehr stark voneinander. Im englischsprachigen Raum wird die Festanstellung *permanent position* oder *permanent employment* genannt, Zeitarbeit heißt *temporary employment* bzw. *temporary position* und ist sehr viel weiter verbreitet als bei uns. Auch viele hochqualifizierte Arbeitskräfte sind in Arbeitnehmerüberlassungsverhältnisse eingebunden. Als Angestellter einer Zeitarbeitsfirma wird man im britisch/irischen Raum unabhängig von der Qualifizierung *temp* (von *temporary position*) genannt.

In den USA werden hochqualifizierte Zeit-Arbeitnehmer *contractors* genannt.

Im europäischen Raum hat *contracting* eine andere Bedeutung, nämlich daß man als Inhaber einer haftungsbeschränkten Firma (Limited Company) freiberuflich tätig ist. Beherrscht man sehr gesuchte Fähigkeiten, speziell im IT-Bereich, dann kann man als *contractor* sehr viel Geld verdienen. Für diese Arbeitsform bekommt man, außer in speziellen Ausnahmefällen, im außereuropäischen Raum kein Visum (vgl. u. »Visabestimmungen«).

Der Arbeitsvertrag

Der Arbeitsvertrag (*employment contract* oder *letter of employment*) spielt im anglo-amerikanischen Raum eine zentrale Rolle. Vom Gesetzgeber bis ins kleinste Detail geregelte Verträge werden Sie im anglo-amerikanischen Ausland nicht vorfinden. Dort müssen Sie fast alle Konditionen mit Ihrem Arbeitgeber aushandeln und im Arbeitsvertrag fixieren. So gibt es zwar Mindestansprüche auf Gehalt oder Urlaub, die z.B. im Zuge der Vereinheitlichung europäischer Gesetze vermehrt Einzug auch z.B. in britische Verträge gehalten haben, aber die Regelungen sind immer Minimalforderungen, so daß auch hier meist zusätzlicher Verhandlungsbedarf besteht.

Im folgenden einige Punkte, auf die man beim Aushandeln eines Arbeitsvertrages achten sollte:

- *working hours* (Arbeiszeit)
- *overtime* (Überstunden)
- *probationary period* (Probezeit)
- *period of notice* (Kündigungsfrist)
- *credit allowance* (Einräumung eines verbilligten Kredits)
- *health insurance* (Krankenversicherung – generell)
- *dental care* (Zusatz-Zahnversicherung)
- *vision care* (Zusatz-Sehversicherung für Brillen etc.)
- *prescription plan* (Zusatz-Medikamentenzuzahlung)
- *freedom option of physician* (freie Arztwahl)
- *sick leave* (Krankentage – ohne Karenztage)
- *life insurance* (Lebensversicherung)
- *holidays* (Urlaub)
- *maternity leave* (Schwangerschaftsurlaub)
- *pension plan* (betriebliche Rentenversicherung)
- *performance bonuses* (Leistungszuschlag)
- *commission* (Verkaufsprovision)
- *company car* (Firmenwagen)
- *stock options* (Vorzugsaktien)
- *relocation expenses* (Umzugskosten)
- *training* (Weiterbildung)

Hier einige grundlegende Informationen zum Arbeitsmarkt:

Sie müssen mit einer durchschnittlichen Arbeitszeit von 8 Stunden/Tag rechnen, die sich sehr häufig durch Überstunden deutlich erhöht. Diese werden nur selten vergütet. In Europa und Südafrika darf man davon ausgehen, mindestens 20 Tage Urlaub zu bekommen, aber auch hier ergibt sich häufig Verhandlungsspielraum. In Australien bekommt man in der Regel einen 4–6-wöchigen Jahresurlaub eingeräumt. In den USA liegt der Anspruch auf Urlaub deutlich unter 20 Tagen/Jahr. Zumeist werden 12–14 Tage Jahresurlaub angeboten. In gehobenen Positionen lockt man aber auch oft mit 20 oder sogar mit 25 Tagen.

Ein weiteres wichtiges Thema ist die Lohnfortzahlung im Krankheitsfall oder nach einem Unfall. Hier gibt es keine einheitliche Regelung. Eine Lohnfortzahlung im Krankheitsfall ist zumeist nur in Verbindung von ein bis drei Karenztagen üblich. Die Themen Krankengeld, Kranken-, Pflege- und Rentenversicherung werden, wie schon erwähnt, zwischen den Parteien größtenteils privat geregelt. Der anglo-amerikanischen Philosophie entsprechend garantiert der Staat mit seiner Krankenversicherung, Rente und Arbeitslosen- bzw. Sozialhilfe nur eine Basisversorgung der Bevölkerung, und diese ist vergleichsweise gering. So bekommen Rentner im anglo-amerikanischen Raum eine sehr kleine staatliche Rente, die in der Regel privat oder von Unternehmerseite ergänzt wird. Vor diesem Hintergrund versuchen Unternehmen ihre Arbeitnehmer regelmäßig mit einem ausgeklügelten System zusätzlicher Sozialleistungen, die sich je nach Länge der Betriebszugehörigkeit erhöhen, an das Unternehmen zu binden. Die zusätzlich von der Firma gewährte soziale Absicherung muß im Arbeitsvertrag geregelt werden.

Auf der anderen Seite sind die vom Bruttolohn abzuführenden Steuern und Sozialabgaben vergleichsweise gering. Die Probezeit dauert in der Regel drei, manchmal sechs Monate. Auch bei den Kündigungsfristen müssen Sie sich im anglo-amerikanischen Raum von altbekannten Regelungen verabschieden. Die in Deutschland üblichen langen Kündigungsfristen sind unbekannt. Die Kündigungsfrist beträgt zu Beginn einer Zusammenarbeit 7 Tage, erhöht sich nach etwa einjähriger Betriebszugehörigkeit auf 30 Tage und kann im Laufe der Jahre auf drei Monate anwachsen. Längerer Kündigungsschutz ist im anglo-amerikanischen Raum unüblich. Wenn Ihnen eine längere Frist angeboten wird, muß diese unbedingt im Arbeitsvertrag aufgeführt sein. Allerdings: der Vorteil einer sicheren Arbeitsstelle durch eine lange Kündigungsfrist ist im englischsprachigen Ausland insbesondere bei den gesuchten Arbeitnehmern sehr fraglich.

Auch für Hochschüler ist es interessant, von diesen Regelungen zu wissen, wenngleich sie beim Absolvieren eines Praktikums weiterhin im Heimatland sozialversichert sind. Private Lebensversicherungen oder Pensionsfonds sind bei so kurzen Tätigkeiten kaum von Bedeutung, aber eine von der Firma getragene private Krankenversicherung kann sich in der einen oder anderen Situation schon auszahlen, denn wie wir aus eigener Erfahrung zu berichten wissen: Ohne freie Arztwahl hat man besonders bei Zahnärzten praktisch keine Auswahl – die guten nehmen nur Privatpatienten.

Wird man nur für einen kurzen Zeitraum im Ausland bleiben, sollte man bezüglich der Sozialversicherung noch einiges vor der Abreise regeln. Aber auch, wenn ein längerer Aufenthalt geplant ist, sollte man zur Sicherheit vorsorgen – möglicherweise kehrt man früher ins Heimatland zurück als ursprünglich geplant. Es geht um die eigenen Ansprüche bei den hiesigen Versicherungen, seien sie privat oder vom Gesetzgeber vorgeschrieben, die man meist gegen eine geringe Gebühr ruhen lassen kann. Mit wenig organisatorischem Aufwand erhalten Sie so die Sicherheit, bei einer Rückkehr gleich wieder den kompletten Versicherungsschutz zu genießen.

Eine Wiederaufnahme in eine gesetzliche (ab einem relativ hohen Einkommen) oder private (mit Krankenvorgeschichte) Versicherung kann sich als schwierig erweisen. Auch bei der Pflegeversicherung kann es Schwierigkeiten geben. Hier gilt z.B. die Fristenregelung: drei Jahre ohne Leistung nach unterbrochener Zahlung.

Informationen über ruhende Verträge für Renten-, Sozial-, Kranken- und Pflegeversicherung erhalten Sie bei Ihrer Krankenkasse.

Probleme durch die deutschen Kündigungsfristen

An dieser Stelle noch ein Hinweis zu den hierzulande üblichen, langen Kündigungsfristen. Wie schon oben erwähnt, macht man im englischen Lebenslauf keine Angaben zur Verfügbarkeit (*availability*). Ein Arbeitgeber geht immer davon aus, daß der Bewerber innerhalb einer relativ kurzen Zeitspanne zur Vefügung stehen kann. Der Arbeitsmarkt ist im anglo-amerikanischen Raum sehr viel flexibler als bei uns. Somit sind auch die Planungshorizonte der Personalabteilungen wesentlich enger.

Bei Bewerbungen aus einer ungekündigten Anstellung mit einer hierzulande üblichen Kündigungsfrist von z.B. sechs Wochen zum Quartalsende, taucht nun das Problem der Verfügbarkeit auf. Kaum ein Arbeitgeber im anglo-amerikanischen Raum ist bereit, so lange auf eine Arbeitskraft zu warten. Der sichere Weg, erst mit einem unterschriebenen Arbeitsvertrag zu kündigen, ist oft schwer zu realisieren. Man kann auf eine vorzeitige Entlassung aus dem Arbeitsvertrag spekulieren (die Praxis zeigt, daß man sich in ca. 70% aller Fälle gütlich einigen kann), oder aber strategischerweise den angesparten Urlaub am Ende des alten Arbeitsverhältnisses nehmen.

Akzeptanz- oder Ablehnungsschreiben

Bietet man Ihnen nach für beide Seiten positiven Verhandlungen eine Position an, dann sollten Sie diese in einem nett formulierten Brief akzeptieren, bzw. freundlich ablehnen. Insbesondere in den USA ist dieses Vorgehen üblich.

7120 Wharfside Lane, Apt. # 17C
Indianapolis, IN 44231

September 15, 1999

J. Jemisson, Ph.D.
Henry Kissinger Hospital
Clinical Fellowship Program
Division of Physical Sciences and Rehabilitation
5436 East Grand Boulevard PPT-887
Cincinatti, CI 48205

Dear Dr. Jemisson

Thank you very much for offering me the physical-rehabilitation position. I accept with great pleasure and I am looking forward to becoming a member of Rehabilitation Services at Henry Kissinger Hospital.

I understand that I will be starting on October 1, 1999. Please let me know if there is anything that I can do in the meantime.

Again I would like to thank you for this wonderful job opportunity.

Sincerely

Marianne Pohl

Marianne Pohl

7120 Wharfside Lane, Apt. # 17C
Indianoplis, IN 44231

September 22, 1999

Ms. Christina Ruffel
Rehabilitation Hospital of New York
Rehabilitation and Therapy
4143 Shore Drive
New York, NY 34566

Dear Ms. Ruffel

Thank you very much for considering me for a physical-rehabilitation position. Your facility is well known for its excellence and I appreciate your interest. However, I have just accepted a position with Henry Kissinger Hospital in Cincinatti. Therefore I am not available at present. Hopefully we will hear from each other again in the future.

Sincerely

Marianne Pohl

Marianne Pohl

10. Die Visa-Bestimmungen der einzelnen Länder

Die EU

Innerhalb der EU gilt auf Grundlage der *Maastrichter Verträge* das Prinzip der Freizügigkeit. Für EU-Bürger bedeutet das, daß sie innerhalb des Binnenmarktes Wohn- und Arbeitsort frei wählen können. Darüberhinaus gibt es weder in Großbritannien noch in Irland eine Meldepflicht. Bei einem Umzug in diese Länder und auch bei einem Wohnortwechsel innerhalb dieser Länder besteht folglich keine Anzeigepflicht. Um arbeiten zu können, reicht in den ersten Wochen der Reisepaß, danach muß eine Sozialversicherungsnummer, die »National Insurance Number (NI)« beantragt werden. Dies tut man bei dem für den jeweiligen Wohnort zuständigen »Social Security Office«. Die Bearbeitungszeit beträgt 4–6 Wochen. In der Zwischenzeit bekommt man eine provisorische Steuernummer zugeteilt.

Die USA

Es ist relativ schwierig, für die USA ein Arbeitsvisum zu bekommen. Hierzulande bekannt, zumindest nach dem gleichnamigen Film, ist die *Green Card* oder *Immigration Visa*, das Einwanderungsvisum mit unbegrenzter Aufenthalts- und Arbeitserlaubnis. Die *Green Card* bekommt nur, wer bei der jährlich stattfindenden *Green Card Lottery* gewinnt* oder wer dieses Visum nach der Heirat mit einem US-amerikanischen Staatsbürger beantragt. Der behördliche Aufwand in beiden Fällen ist enorm.

Eine andere Möglichkeit ist die Beantragung einer zeitlich begrenzten Arbeitserlaubnis, des *Non-Immigrant Visa*. Dieses Visum wird immer nur befristet, meist in Zusammenhang mit einem Arbeits- oder Ausbildungsvertrag erteilt. Die Beantra-

* Jährlich werden weltweit 50.000 Aufenthaltsgenehmigungen verlost. Die Teilnahme ist kostenlos, Anmeldeunterlagen erhalten Sie bei der US-amerikanischen Einwanderungsbehörde. Das Ausfüllen ist relativ einfach, die Fristen sind allerdings strengstens zu beachten. Die Inanspruchnahme von teuren Greencard-Lotterie-Agenturen lohnt sich nicht. Eine detaillierte Anleitung zum Ausfüllen der Unterlagen findet man im Buch: *Die US-Green-Card* von M. Emser, Freiburg: Interconnections, 1998.

gung ist zwar immer noch sehr kompliziert, aber im Vergleich zur *Green Card* sind die Voraussetzungen wesentlich einfacher zu erfüllen*. Da nicht jeder heiratswillig oder ein Glückspilz ist, wollen wir uns im folgenden allein mit mit dem *Non-Immigrant Visa* befassen.

Die verschiedenen *Non-Immigrant Visa* werden für genau festgelegte Aktivitäten wie Touristenaufenthalte, Ausbildung/Studium oder Arbeitsaufenthalte ausgegeben und sind mit sehr unterschiedlichen Rechten verbunden. Das erteilte Visum gibt Ihnen das Recht, einer bestimmten und fest definierten Tätigkeit in den USA nachzugehen. Überschreiten Sie die Befugnisse und werden erwischt, müssen Sie das Land verlassen und dürfen nie wieder in die USA einreisen. Für jede Visumbeantragung ist eine Gebühr von DM 85,- im voraus zu bezahlen, und dieser Betrag wird auch im Falle einer Ablehnung des Visumantrages nicht rückerstattet. Obwohl auf den ersten Blick das Prozedere der Einreisegenehmigung recht kompliziert erscheint, werden jährlich mehrere zehntausend *Non-Immigrant Visa* an Deutsche ausgestellt. Die vorzulegenden Dokumente, die u.a. beweisen sollen, daß die an das Visum gebundenen Anforderungen erfüllt werden, sind: polizeiliches Führungszeugnis, Geburtsurkunde, Heiratsurkunde, Arbeitsvertrag, Steuererklärung, Schulabschlußzeugnis, Diplom, Zeugnisse von vorherigen Arbeitgebern über berufliche Tätigkeiten, ein oder mehrere Paßfotos im amerikanischen Format (37 x 37 mm), einen mindestens noch sechs Monate nach der Einreise gültigen Reisepaß usw. Die Visabeantragung erfolgt in Deutschland bei den amerikanischen Vertretungen in Bonn und Berlin, sowie bei der wichtigsten Vertretung, dem Generalkonsulat in Frankfurt (Adressen weiter unten). Es gibt die unterschiedlichsten Visaanträge. Am besten schildert man bei den zuständigen Stellen ausführlich, schriftlich oder telefonisch sein Anliegen und erhält dann die entsprechenden Anträge zugeschickt. Die Bearbeitungsdauer ist unterschiedlich lang, kann aber bis zu sechs Monate betragen.

Um ein Visum zu erhalten, ist auch eine umfangreiche ärztliche Untersuchung erforderlich. Diese Untersuchung kann nur von bestimmten Vertrauensärzten durchgeführt werden und kostet etwa DM 200,– Sie umfaßt eine gründliche Befragung, eine Blutuntersuchung auf Syphilis und HIV, eine Röntgenuntersuchung, eine Urinprobe und eine generelle körperliche Untersuchung. Seit April

---

* Für bestimmte gesuchte Berufsgruppen etwa im IT-Bereich ist es sogar relativ komplikationslos, ein Spezialistenvisum zu beantragen. So verdoppelte die Einwanderungsbehörde im Jahr 1998 auf Drängen der IT-Industruie die Kontigente für diese Spezialistenvisa.

1998 sind außerdem eine Reihe von Impfungen erforderlich: z.B. Windpocken, Mumps usw. Folglich gehört der Impfpaß ebenfalls zu den notwendigen Ausweispapieren.

Abgesehen vom üblichen Touristenvisum, das bei der Einreise mit gültigem Reisepaß automatisch für maximal 90 Tage ohne Verlängerungsmöglichkeit gewährt wird und keinerlei Art von Arbeit erlaubt (aber für einen Info-Besuch und die Suche nach Praktika durchaus geeignet ist) gibt es die folgenden Visa-Kategorien: B-, F- J-, H- und L.

B-Klasse-Visa regeln die erwerbsmäßigen Aktivitäten von Geschäftsleuten, die im internationalen Handel bzw. Dienstleistungsbereich tätig sind. Es geht um eine kurzfristige Entsendung, die Aufenthaltsdauer ist auf maximal ein Jahr begrenzt. Erlaubt sind ausschließlich Aktivitäten für die ausländische Firma, die Sie entsendet hat und von der Sie auch aus dem Heimatland nach dortigem Recht/Steuern etc. bezahlt werden. Im Regelfall wird sich Ihre Firma um die Visaformalitäten kümmern.

Für Studenten interessant sind die F- und J-Visa.
Das F-Visum entspricht dem »normalen« Studentenvisum, während J-Visa an bestimmte Austauschprogramme gebunden sind.

Die **F-Klasse** (F-1 und F-2) erlaubt den Visa-Inhabern sowie deren Ehepartnern und Kindern den Besuch einer High-School oder ein Vollzeitstudium für die Studien- bzw. Kursdauer zuzüglich zweier Monate für touristische Aktivitäten wie Reisen. Inhaber dieses Visums können auch zeitlich (bis zu 20 Stunden pro Woche und während der Semesterferien Vollzeit) und örtlich (nur auf dem Campusgelände der Universität oder der Schule) begrenzt arbeiten. Nach diesen Regelungen kann man immerhin noch Nachhilfe- oder Deutschunterricht geben ...

J-Visa richten sich neben Studenten oder Praktikanten auch an Lehrer und Professoren, die an Austauschprogrammen teilnehmen. Die Visa gelten bis zu sechs Jahren. Man darf bezahlte Tätigkeiten im Rahmen des Austauschprogrammes wahrnehmen und darüberhinaus – nach schriftlicher Erlaubnis des amerikanischen Staates – auch begrenzt weiterführende erwerbsmäßige Tätigkeiten. Das ist wichtig für alle Studenten, die ganz regulär jobben wollen, allerdings wird verständlicherweise keine Vollzeitbeschäftigung während des Semesters erlaubt.

Alle Antragsteller der F/J Visa-Kategorien müssen nachweisen, daß sie sich lediglich für eine begrenzte Zeit und zu einem bestimmten Zweck in den USA aufhalten und darüberhinaus über ausreichende eigene Mittel verfügen, um ihren Lebensunterhalt zu bestreiten.

In der wichtigen **H-Visa**-Gruppe werden die befristeten Arbeitsgenehmigungen in den USA geregelt. Generell werden nur solche Arbeitnehmer in den Genuß einer Arbeitserlaubnis kommen, die einen unterschriebenen Arbeitsvertrag vorweisen können (Arbeitgeberwechsel ist nur sehr schwer möglich!). Ein Unternehmen, das eine offene Position mit einem Ausländer besetzen möchte, muß diese mehrere Wochen öffentlich ausschreiben. Erst wenn festgestellt wurde, daß keine einheimischen Bewerber in Frage kommen, darf ein Ausländer eingestellt werden. Aufgrund dieser Regelung kommen regelmäßig nur hochgradig qualifizierte und gesuchte Arbeitnehmer in den Genuß einer Arbeitserlaubnis. Dies ist unter anderem in den Bereichen IT, Ingenieurswesen, Führungskräfte, Film und Fernsehen, Mode (Mannequins) oder im Sport der Fall. Der Zuzug solcher Spezialisten und Akademiker wird durch den Visa-Typ H-1B geregelt. Zuzug von Fachkräften im Gesundheitswesen wird durch H-1A beantragt, Spezialisten im Handwerk müssen H-2B beantragen, wobei hier regelmäßig nur projektgebundene, zeitlich befristete Angestelltenverhältnisse bewilligt werden. Fast immer wird eine abgeschlossene Berufsaufsbildung oder aber eine Berufsausübungsbefähigung verlangt.

Aufenthalte im Rahmen der H-1A und H-1B-Visa sind auf maximal 6 Jahre, H-2B-Aufenthalte auf 3 Jahre begrenzt Darüberhinaus kann durch das Visum H-3 eine Teilnahme an einem (oft sehr schlecht) bezahlten Traineeprogramm beantragt werden. Die Aufenthaltsdauer ist auf maximal 18 Monate begrenzt.

Die **L-Klasse** richtet sich an Fach- und Führungskräfte (inklusive Ehepartner und Kinder), die für ihre Firma mittel- bis langfristig in die USA entsandt werden. Sie werden hierbei durch die US-Firma bezahlt und nach amerikanischem Steuerrecht abgerechnet. Die Aufenthaltsdauer beträgt bis zu 7 Jahre. Erlaubte Tätigkeiten werden in dem Visum aufgeführt und sind regelmäßig durch die Funktionen in der empfangenden Firma definiert. Sie dürfen keinesfalls ausgeweitet werden. Die Familienmitglieder dürfen keiner bezahlten Tätigkeit nachgehen.

Weitere Informationen zu den einzelnen Visa-Kategorien erfragen Sie bitte bei den US-Konsulaten. Telefonisch kann man den Visa Informationsdienst der US-

Konsulate unter den (relativ teuren) Servicenummern 0190-915000 (für persönliche Auskünfte) oder 0190-270789 (Tonbandauskunft) erfragen.

Schriftliche Anfragen richten Sie bitte an folgende Adressen:

- Generalkonsulat der Vereinigten Staaten von Amerika
  Siesmayerstraße 21
  60323 Frankfurt
  Tel: (069) 753 50, Fax: (069) 74 89 38 (keine Auskunft in Visa-Fragen)
- Generalkonsulat der Vereinigten Staaten von Amerika
  Außenstelle Berlin
  Neustädtische Kirchstraße 4-5
  10117 Berlin
  Tel.: (030) 238 51 74, Fax: (030) 238 62 90 (keine Auskunft in Visa-Fragen)
- Botschaft der USA
  Deichmanns Aue 29
  53179 Bonn
  Tel.: 0228 3391
  Fax: 0228 332712

Australien

Generell gelten die oben dargestellten US-Einreiseformalitäten auch für alle anderen Länder, die einen starken Zustrom von Einwanderern verzeichnen können. Auch in Australien, Neuseeland, Südafrika, Asien etc. hat man gute Chancen, ein Arbeitsvisum zu bekommen, wenn man gesuchtes Fachwissen oder besondere Qualifikationen mitbringt. Auch hier muß man in der Regel einen Arbeitsvertrag nachweisen können, wobei dieser erst dann von beiden Seiten unterschrieben werden darf, wenn der Arbeitgeber nachweisen kann, daß die Stelle nicht durch heimische Arbeitskräfte zu besetzen war. Regelmäßig wird der Arbeitsgeber deshalb, wenn seine Wahl bereits auf einen ausländischen Kandidaten gefallen ist, die Stellenbeschreibung entsprechend formulieren, aber dennoch muß ein Arbeitgeber sich nachweislich eine festgelegte Zeitlang bemüht haben, die offene Stelle durch eine heimische Arbeitskraft zu besetzen. Er muß hierzu Stellenanzeigen schalten oder aber einen oder mehrere Arbeitsvermittler bemühen. Erst nach Ablauf der Frist kann der ausländische Arbeitnehmer einen Arbeitsvertrag unterschreiben und hiermit einen Antrag auf Arbeitserlaubnis stellen.

An dieser Stelle sei noch eimal darauf hingewiesen, daß es in Australien und auch Neuseeland offiziell keine Au Pair-Stellen gibt und damit auch keine entsprechenden offiziellen Visaanträge gestellt werden können. Hier erlaubt ein normales Touristenvisum einen dreimonatigen Aufenthalt ohne jede Form der erwerbsmäßigen Tätigkeit. Verläßt man Australien, dann wird bei der Rückkehr mit EU-Reisepass in der Regel problemlos eine Re-entry Permission für weitere drei Monate ausgestellt.

Grundsätzlich wird im australischen Visa-System zwischen dem T*emporary Resident Visum* und den *Long Stay Temporary Business* V*isa* unterschieden. Das *Temporary Resident Visa* ist dabei noch einmal in einige Unterklassen unterteilt, und es ist für die Genehmigung ungemein wichtig, sich für eine passende Unterklasse zu entscheiden. Dieses Visum legt den Schwerpunkt auf die Aufenthaltsgenehmigung, wobei in einzelnen Fällen auch erwerbsmäßige Tätigkeiten möglich sind. Die andere Visa-Form, das *Business Visa* müssen alle gewerblich oder investitiv tätigen Antragsteller ausfüllen. Die Formulare können auschließlich schriftlich mit einem entsprechend frankierten Rückumschlag der Größe C5 oder C4 bei Australia Service (Adresse siehe unten) angefordert werden. In einem kurzem Anschreiben beschreiben Sie die Art des Aufenthaltes, und man schickt Ihnen automatisch die richtigen Unterlagen zu, die Sie dann ausgefüllt bei der Australischen Botschaft einreichen. Die Visabeantragungsgebühr beträgt jeweils DM 175,– und ist im voraus zu bezahlen. Auch im Falle einer Ablehnung wird die Gebühr nicht erstattet. Ähnlich wie beim US-Visum, sind die verschiedensten Unterlagen einzureichen. Auch hier wird eine umfangreiche ärztliche Untersuchung bei einem der Vertragsärzte der australischen Botschaft verlangt (die Liste bekommt man automatisch mit dem Antragsformular). Bei einem Aufenthalt von mehr als 12 Monaten wird zusätzlich ein Röntgenbild der Lunge eingefordert. Dem Vertragsarzt werden zwei Paßbilder sowie der gültige Reisepaß vorgelegt. Die Untersuchungskosten trägt der Antragssteller. Die Untersuchungsergebnisse werden automatisch vom Vertragsarzt an die Botschaft weitergeleitet.

- Das *Temporary Resident Visa (*Formblatt 147) erlaubt einen projektbezogenen Aufenthalt, der zeitlich nicht begrenzt ist. Eine Unterklasse sind die Praktikanten-Visa (*Occupational Trainee, Subclass 442*). Diese werden relativ problemlos ausgestellt, wobei der Antragsteller Student sein muß. Hier muß allerdings zunächst die australische Praktikantenstelle aktiv werden und in Australien das Formblatt 913 bei dem nächstgelegenen *Department of Immigration and Multicultural Affairs* einreichen. Erst mit der Zustimmung der Einwanderungsbehörde kann dann das bei Australia Service angeforderte Formblatt 147 bei der Australischen Botschaft in Bonn oder Berlin eingereicht werden. Die Unterklassen *Working Holidays* (417) und *Retirement* (410) kommen nur für Commenwealth Mitglieder in Frage und werden sonst regelmäßig abschlägig beschieden. Weitere Klassen im *Temporary Resident Visa* sind eingerichtet für Austauschlehrer, Künstler, Diplomaten, Akademiker in Forschung&Lehre etc.

- Das *Temporary BusinessVisa* (Formblatt 1066) erlaubt einen auf Erwerbstätigkeit angelegten Aufenthalt von 3 Monaten bis maximal 4 Jahre. Die Beantragung ist relativ kompliziert. Zunächst muß entweder die Firma, die Sie ins Ausland entsendet, einige Formulare ausfüllen (1067 und 1068) oder aber das australische Unternehmen, das Sie einstellen möchte. Diese Unterlagen sind ebenfalls an das *Department of Immigration and Multicultural* Affairs zu senden, welches über diesen Antrag entscheidet und der Australischen Botschaft in Deutschland die bewilligte *sponsorship and nomination* bescheinigt. Erst jetzt können Sie Ihren Visaantrag mit dem Formblatt 1066 stellen. Möchten Sie ein eigenes Unternehmen oder aber eine Filiale in Australien gründen, sind ebenfalls zunächst die Formblätter 1066 und 1068 auszufüllen. Permanente Aufenthalts- und Arbeitsgenehmigungen werden erst nach längerem Aufenthalt oder in Zusammenhang mit einer Heirat erteilt.

Weitere detaillierte Auskünfte erhalten Sie unter folgender Adresse:

- Australische Botschaft
  Godesberger Allee 105
  53175 Bonn
  Tel.: 0228-8103-0
  Telefax: 0228-376268
  Visa- und Einwanderungsabteilung, Tel.: 0190-242000
  Touristen, Tel.: 0228-8103-540
  Geschäftsreise, Tel.: 0228-8103-541
  Einwanderung, Tel.: 0228-8103-542
  Studenten, Tel.: 0228-8103-543
  Praktikum/Working Holiday, Tel.: 0228-8103-544
  Telefax: 0228-373145

Presse- und Öffentlichkeitsarbeit, Tel.: 0228-8103-162
Telefax: 0228-8103-144

Visa-Anträge und Fachliteratur bestellen Sie schriftlich :

- Australia Service
  Dachauerstr. 109
  80335 München
  Tel.: 089/54 28 391
  Fax: 089-52315487

Literatur:

- Ulrich Sackstedt: *Australien – Handbuch für Auswanderer*, Motorbuch 1996, 332 Seiten, DM 49,80 + 3,95 Porto und Verpackung
- *Living and working in Australia* (ISBN Nr. 1-901130-00-2) 508 Seiten, DM 59,80 + 3,95 Porto und Verpackung.

Südafrika

Generell kann man sich in diesem wunderschönen, wenn auch mittlerweile als etwas gefährlich angesehenen Land als Tourist und auch als unbezahlter Praktikant bis zu drei Monate mit einem gültigen Reisepaß aufhalten. Ebenso wie in den USA oder Australien sind Arbeitnehmer mit interessantem Fachwissen oder auch Investoren ab einer bestimmten Summe, nach eingehender Prüfung, willkommen. Aufgrund der hohen Arbeitslosigkeit ist es für einen potentiellen Arbeitgeber in Südafrika etwas schwieriger nachzuweisen, daß die offene Stelle nicht durch einen Südafrikaner besetzt werden kann. Wenigstens einen Monat lang muß er nachweislich Stellenanzeigen schalten oder aber Arbeitsvermittlungsagenturen bemühen. Erst dann kann der ausländische Arbeitnehmer einen Arbeitsvertag unterschreiben und im Anschluß einen Antrag auf Arbeitserlaubnis bei der Südafrikanischen Botschaft in Berlin oder Bonn stellen. Der Antrag kostet DM 300 und wird in Pretoria bearbeitet. Hier wird auch über den Zeitraum der Güligkeit der Arbeitserlaubnis befunden.

Detaillierte Informationen erhält man bei den Botschaften:

- Südafrikanische Botschaft
  Auf der Hostert 3
  53173 Bonn
  Tel.: 0228 82010
  Fax: 0228 8201142
- Südafrikanische Botschaft Außenstelle Berlin
  Douglasstr. 9
  14193 Berlin
  Tel.: 030 8252711
  Fax: 030 8266543

Nachwort

So, nun ist alles gesagt, was gesagt werden sollte.

Sie haben mit dem Erwerb dieses Buches alle wichtigen und wertvollen Informationen in den Händen, die Sie brauchen, um sich erfolgreich weltweit auf Englisch zu bewerben. Ganz wichtig ist es, daß Sie nicht aufgeben, wenn es mal etwas schwieriger wird oder auch, wenn Sie anfänglich einige Absagen bekommen. Holen Sie sich Hilfe! Sie werden sehen, sich auf Englisch zu bewerben ist ein Intensivkurs, und Sie lernen schnell!

Wir wünschen an dieser Stelle von ganzem Herzen viel Glück und Erfolg bei dem angestrebten Arbeitsaufenthalt im englischsprachigen Ausland, es wird eine anstrengende, aber auch wundervolle Zeit, da sind wir uns ganz sicher!